# Digital: La Guida Completa al Social Media Management

Dalla definizione di strategie all'interazione con la community: tecniche, consigli pratici e risorse per dominare l'arte della gestione dei social media in un mondo digitale in continua evoluzione.

Miriam Fancelli

1. **Introduzione al Social Media Management**
   - Definizione e importanza nel mondo digitale odierno.
2. **Piattaforme Social Principali**
   - Overview di Facebook, Instagram, Twitter, LinkedIn, TikTok, e altre.
3. **Creazione di un Profilo Aziendale**
   - Best practices per creare profili accattivanti e professionali.
4. **Targeting del Pubblico**
   - Identificare e comprendere l'audience di riferimento.
5. **Creazione di Contenuti**
   - Ideazione e produzione di contenuti originali e coinvolgenti.
6. **Calendario Editoriale**
   - Pianificazione e organizzazione dei post.
7. **Uso delle Immagini e dei Video**
   - Creazione e ottimizzazione di contenuti visivi.
8. **SEO e Social Media**
   - Ottimizzazione dei contenuti per i motori di ricerca.
9. **Gestione della Community**
   - Interazione e moderazione dei follower.
10. **Public Relations e Collaborazioni**
    - Costruire relazioni con influencer e altri brand.

11. **Advertising sui Social Media**
    - Creazione e gestione di campagne pubblicitarie.
12. **Analisi delle Metriche**
    - Monitoraggio e interpretazione dei dati.
13. **Gestione delle Crisi**
    - Come affrontare problemi e criticità online.
14. **Leggi e Normative**
    - Conoscenza della legislazione relativa ai social media.
15. **Tool e Software**
    - Strumenti utili per il social media manager.
16. **Case Studies**
    - Analisi di casi di successo e insuccesso.
17. **Sviluppo Professionale**
    - Crescita e formazione continua nel campo.
18. **Freelancing e Agenzie**
    - Lavorare come freelance o in un'agenzia.
19. **Creazione di un Portfolio**
    - Presentare i propri lavori e successi.
20. **Consigli Pratici e Risorse Utili**
    - Suggerimenti e materiali per migliorarsi.

Introduzione al Social Media Management
Definizione e importanza nel mondo digitale
odierno.

## Capitolo 1: Introduzione al Social Media Management

Definizione

Il Social Media Management (SMM) si riferisce
alla gestione della presenza online di un'entità
(che sia un'azienda, un'organizzazione o un
individuo) attraverso diverse piattaforme di
social media. Essenzialmente, ciò implica la
creazione, la pubblicazione e l'ottimizzazione di
contenuti, la gestione della community e
dell'interazione con gli utenti, e talvolta l'analisi
delle performance.

I Social Media Manager sono professionisti che
orchestrano le attività online con l'obiettivo di
aumentare la visibilità del brand, costruire e
mantenere una reputazione online, e,
naturalmente, favorire obiettivi aziendali
specifici come generare lead o vendite.

Importanza nel Mondo Digitale

**Presenza e Visibilità Online**

In un mondo sempre più digitalizzato, le persone
trascorrono una considerevole parte del loro
tempo sui social media, rendendo queste
piattaforme degli strumenti vitali per raggiungere

e interagire con potenziali clienti o follower. La presenza sui social media non solo accresce la visibilità di un brand ma fornisce anche un canale diretto attraverso il quale le aziende possono comunicare con il loro pubblico.

## Interazione e Fidelizzazione del Cliente

Le piattaforme social offrono l'opportunità di interagire direttamente con il pubblico, permettendo una comunicazione bidirezionale che può alimentare la lealtà e la soddisfazione del cliente. La capacità di rispondere rapidamente ai commenti, domande e feedback crea un legame con il pubblico e humanizza il brand.

## Costruzione del Brand e della Reputazione

Un buon Social Media Management aiuta a costruire l'immagine del brand, promuovendone i valori e la personalità. La narrazione (storytelling) e la coerenza nei messaggi e nei contenuti condivisi aiutano a costruire un'identità forte e riconoscibile, influenzando positivamente la reputazione.

## Analisi e Strategia di Mercato

Tramite l'analisi delle metriche e dei dati forniti dai social media, le aziende possono comprendere meglio il proprio pubblico, le sue preferenze e il suo comportamento. Queste informazioni sono fondamentali per sviluppare strategie di marketing efficaci e per adeguare i prodotti o i servizi alle esigenze dei clienti.

**Amplificazione delle Campagne Marketing**

I social media rappresentano una leva potente per amplificare le campagne marketing, raggiungendo target specifici attraverso pubblicità mirate e contenuti virali.

Conclusione

In conclusione, il Social Media Management è una componente cruciale delle strategie digitali moderne. Saper navigare con destrezza nel dinamico mondo dei social media, comprendere le piattaforme, il loro funzionamento e il loro pubblico, e saper sviluppare strategie efficaci sono competenze chiave per i brand che desiderano emergere e affermarsi nel panorama digitale contemporaneo.

Il Social Media Management (SMM) rappresenta una componente vitale per qualsiasi entità che voglia navigare efficacemente nel vasto oceano del digitale, rendendosi visibile, influente e competitiva nel mercato contemporaneo. La definizione di SMM abbraccia un insieme di pratiche e competenze, tra cui la pianificazione strategica, la creazione di contenuti, la gestione delle interazioni e la valutazione delle performance, tutte intrinsecamente legate alle piattaforme di social media.

Inoltrandoci nel mondo del SMM, è inevitabile riflettere sulla rapida evoluzione delle piattaforme social nel corso degli ultimi anni. Da strumenti volti principalmente alla socializzazione e condivisione di contenuti personali, i social media si sono trasformati in veri e propri ecosistemi digitali dove le entità aziendali possono fiorire e interagire direttamente con il loro pubblico. L'attenzione dei brand verso piattaforme come Instagram, Facebook, Twitter, LinkedIn e TikTok, tra gli altri, non è casuale, ma deriva dalla consapevolezza che il pubblico moderno, diversificato e globalizzato, trascorre una porzione significativa della propria giornata immerso in queste piattaforme.

Ogni piattaforma presenta delle specificità che il Social Media Manager deve comprendere a fondo. Ad esempio, mentre Instagram potrebbe essere il luogo perfetto per brand legati all'estetica, alla moda o al lifestyle, grazie al suo forte focus sul contenuto visivo, LinkedIn potrebbe essere la scelta ottimale per chi opera nel settore B2B, data la sua natura professionale e la presenza di un pubblico più orientato agli affari.

Inoltre, un'attenta analisi dei diversi gruppi demografici presenti su ogni piattaforma permette al Social Media Manager di orientare la comunicazione in modo da essere il più pertinente e coinvolgente possibile per il proprio target. La generazione Z, per esempio, tende a privilegiare piattaforme dinamiche e visivamente stimolanti come TikTok, mentre un pubblico più maturo potrebbe essere più attivo su Facebook. Il ruolo del Social Media Manager non è semplicemente quello di "postare" contenuti, ma richiede un'accurata pianificazione strategica, che comprende la definizione degli obiettivi, la comprensione del pubblico, la creazione di contenuti mirati e l'analisi delle prestazioni. In particolare, il SMM richiede di equilibrare la promozione diretta con la creazione di un genuino valore per l'audience, offrendo contenuti che siano informativi, divertenti o emotivamente coinvolgenti, e che riflettano autenticamente la voce e i valori del brand.

Il social listening, ossia l'arte di monitorare le conversazioni online relative al proprio brand, ai competitor e al settore di riferimento, rappresenta un'altra faccia fondamentale del SMM. Questa pratica permette non solo di gestire e rispondere alle eventuali crisi in modo proattivo, ma anche di cogliere insight preziosi sulle percezioni del pubblico, individuare nuove opportunità e ottimizzare la strategia in corso. Nel quadro del SMM, la pubblicità a pagamento riveste anche essa un ruolo chiave. Le piattaforme di social media offrono strumenti pubblicitari avanzati che permettono di veicolare i messaggi promozionali in modo estremamente targettizzato, sfruttando i dati demografici e comportamentali degli utenti per raggiungere segmenti di pubblico ben precisi.

Infine, non va dimenticata l'importanza dell'analisi dei dati nel SMM. Gli analytics dei social media forniscono una vastità di dati e metriche che, se interpretati correttamente, permettono di valutare l'efficacia delle strategie implementate, comprendere più a fondo il proprio pubblico e prendere decisioni informate su come ottimizzare le future iniziative sui social media.

In una prospettiva di crescita e miglioramento continuo, il Social Media Manager deve rimanere costantemente aggiornato sulle tendenze del settore, sui cambiamenti negli algoritmi delle piattaforme e sulle evoluzioni nel comportamento degli utenti, garantendo così al brand una presenza sui social media non solo attuale, ma anche futuristica e visionaria.

Continuando a immergerci nell'intricato universo del Social Media Management, appare evidente quanto questo ruolo sia cruciale per la creazione e il mantenimento di un dialogo costruttivo tra brand e consumatori nell'attuale era digitale. La multifunzionalità delle piattaforme social permette di abbracciare una miriade di obiettivi: dalla pura e semplice awareness, alla costruzione di una community solida e impegnata, alla conversione diretta in termini di vendite o lead acquisiti.

Esploriamo ulteriormente le sfumature e le complessità di questo mondo, soffermandoci, ad esempio, sull'arte della creazione dei contenuti. Il contenuto, nel contesto del Social Media Management, è un ente multiforme che prende vita in innumerevoli formati e stili. Si estende dai post testuali alle immagini, dai video ai podcast, e ogni forma di contenuto ha il proprio linguaggio specifico, che il Social Media Manager deve saper parlare con fluidità e autenticità. Per esempio, mentre un post su LinkedIn potrebbe richiedere un tono più formale e professionale, un video su TikTok richiederà leggerezza, dinamismo e un approccio più giocoso.

Il contenuto deve anche risuonare con l'audience a cui è destinato, solleticando i suoi interessi, le sue emozioni e, in qualche modo, offrendo un valore percepito, che può manifestarsi in forma di intrattenimento, ispirazione, informazione o altro ancora. La creazione di contenuti richiede, quindi, un profondo insight non solo nel proprio brand, ma anche nel pubblico e nel contesto culturale e sociale in cui il brand e il pubblico si incontrano e interagiscono.

Inoltre, il SMM va ben oltre la semplice pubblicazione di contenuti, immergendosi nel delicato mondo della gestione delle relazioni con i clienti nell'ambiente digitale. Rispondere ai commenti, gestire i messaggi diretti, riconoscere e valorizzare gli utenti più attivi e fedeli: tutte queste attività contribuiscono a costruire una community forte e coesa attorno al brand, che può trasformarsi in una potente forza di advocacy e word-of-mouth nel mondo digitale.

È importante sottolineare l'importanza delle collaborazioni nel contesto del SMM. Il collegamento con influencer, altri brand, o persino clienti diventa una strategia di potenziamento del contenuto, ampliando la portata e arricchendo il discorso del brand con nuove voci e prospettive. La scelta dei partner di collaborazione dovrebbe essere guidata non solo dalla grandezza della loro audience ma anche dall'allineamento con i valori e l'immagine del brand.

Una tematica che va necessariamente affrontata è quella della gestione delle crisi sui social media. In un'epoca in cui le informazioni viaggiano alla velocità della luce, un piccolo incidente o malinteso può rapidamente esplodere in una crisi a tutto campo. La preparazione a gestire queste situazioni, mantenendo la calma, comunicando con trasparenza e autenticità, e dimostrando un genuino impegno a risolvere qualsiasi problema possa sorgere, è fondamentale per qualsiasi Social Media Manager.

Il Social Media Management richiede anche un'attenta gestione del budget. Ciò implica la capacità di allocare risorse in modo efficiente tra la creazione di contenuti, la pubblicità a pagamento, gli strumenti di analisi e gestione, e altre spese correlate. La creazione di un equilibrio tra investimenti e rendimenti, e l'abilità nel giustificare gli investimenti attraverso la dimostrazione del ROI (Return On

Investment) delle attività sui social media, sono competenze vitali per il professionista del settore. Continuare a navigare nelle acque mutevoli e a volte tumultuose del mondo dei social media richiede non solo una comprensione profonda degli attuali paesaggi digitali ma anche la capacità di guardare avanti, prevedendo o, almeno, preparandosi per i cambiamenti futuri. La curiosità, l'apertura mentale, la capacità di apprendimento continuo e la resilienza rappresentano, pertanto, qualità fondamentali per chiunque operi nel campo del Social Media Management.

Il percorso attraverso le sfumature del Social Media Management ci porta ora a esplorare ulteriori dimensioni, quali l'etica e la responsabilità sociale nel gestire i canali digitali di un brand. Il Social Media Manager, nel curare l'immagine e la voce del brand nell'universo online, è chiamato a navigare attraverso tematiche delicate, garantendo che la comunicazione sia sempre rispettosa, inclusiva e allineata con i principi etici e sociali contemporanei.
Una pratica etica e socialmente responsabile nel SMM non si riflette soltanto nella creazione dei contenuti, ma anche nel modo in cui il brand sceglie di interagire con la propria community e

con il mondo esterno. Ciò include l'essere attenti e rispettosi nei confronti delle diverse sensibilità culturali e sociali, promuovere un dialogo costruttivo e positivo, e posizionarsi, quando appropriato, su questioni sociali in modo che sia coerente con i valori del brand.

Ulteriormente, l'accessibilità è un'altra componente cruciale che deve essere presa in considerazione. La creazione di contenuti accessibili a tutte le persone, indipendentemente dalle loro capacità fisiche, è non solo una pratica inclusiva ma anche un obbligo etico e, in alcune giurisdizioni, legale. Utilizzare descrizioni alternative per le immagini, sottotitoli per i video e linguaggio comprensibile e inclusivo sono tutte pratiche che migliorano l'accessibilità e consentono al brand di raggiungere una base di utenti più ampia e diversificata.

Entrando nel regno delle strategie avanzate di SMM, è essenziale sottolineare l'importanza di saper adattarsi e personalizzare i contenuti e le campagne in base alle diverse piattaforme. Ogni piattaforma social ha il suo proprio "linguaggio" e dinamiche uniche che richiedono una comprensione profonda e un approccio su misura. Per esempio, una campagna pubblicitaria su Instagram potrebbe avere bisogno di essere visivamente più coinvolgente e stimolante rispetto a una su LinkedIn, che potrebbe richiedere un approccio più informativo e professionale.

È essenziale anche considerare il ruolo delle emergenti tecnologie e trend digitali nel modellare il paesaggio del SMM. L'ascesa della realtà aumentata (AR), della realtà virtuale (VR) e dell'intelligenza artificiale (IA) stanno offrendo nuove opportunità ma anche sfide per i brand nell'ambito dei social media. Ad esempio, i filtri AR su Instagram offrono nuove strade per l'engagement del pubblico, mentre l'utilizzo dei chatbot alimentati da IA su piattaforme come Facebook Messenger può automatizzare e personalizzare l'interazione con i clienti.

Un altro elemento fondamentale nel SMM è la gestione della reputazione online. Il modo in cui un brand viene percepito online non è solo il risultato dei propri contenuti e messaggi, ma anche delle recensioni, commenti e conversazioni che circolano nelle varie piattaforme social. Monitorare, rispondere e, quando possibile, guidare queste conversazioni è fondamentale per mantenere una reputazione positiva e autentica nel mondo digitale.

L'internazionalizzazione delle strategie sui social media è un altro aspetto da considerare per i brand che operano o aspirano a operare su scala globale. Ciò implica non solo la traduzione dei contenuti in diverse lingue, ma anche l'adattamento delle campagne e delle comunicazioni alle specifiche culturali, normative e comportamentali dei diversi mercati target. Questo può richiedere una collaborazione con esperti locali e una profonda ricerca di mercato per assicurare che la comunicazione sia rilevante, rispettosa e efficace in ogni contesto culturale.

La longevità e la sostenibilità delle strategie di SMM sono anch'esse cruciali. In un mondo digitale in costante evoluzione, le strategie devono essere flessibili e adattabili, ma anche sostenibili nel lungo termine. Ciò implica l'equilibrio tra il perseguimento di trend emergenti e l'investimento in pratiche e contenuti che hanno dimostrato di essere di valore duraturo e consistente per il brand e la sua community.

Concludendo questa esplorazione, è evidente che il Social Media Management è un campo profondo e multiforme, che abbraccia una vasta gamma di competenze, conoscenze e responsabilità. Da esperto di contenuti a stratega, da analista dati a gestore di crisi, il Social Media Manager deve vestire molteplici cappelli, orchestrando una presenza online che sia al tempo stesso autentica, coinvolgente, etica e strategicamente allineata con gli obiettivi più ampi del brand.

Concludendo il punto focalizzato sull'introduzione al Social Media Management (SMM) e riflettendo sull'elaborazione precedente, è opportuno evidenziare che l'essenza di questa professione è articolata, multi-dimensionale e sempre in evoluzione. Nella summa delle competenze e delle responsabilità che il Social Media Manager (SMM) porta con sé, emergono chiari alcuni fili conduttori: l'adattabilità, l'autenticità, e un sapiente equilibrio tra arte e scienza.

Il Social Media Manager naviga costantemente tra la creatività intrinseca alla creazione di contenuti e la rigore analitico necessario per interpretare i dati e ottimizzare le strategie. Deve saper raccontare storie coinvolgenti, generare dialoghi, e creare esperienze significative per la community. Allo stesso tempo, deve anche avere una solida comprensione dei dati, essere in grado di analizzare le metriche per valutare l'efficacia delle campagne, e utilizzare queste informazioni per guidare future decisioni strategiche.

Riguardo alla creazione di contenuti, il SMM deve essere in grado di abbracciare diverse forme narrative e adattare il linguaggio e il messaggio del brand a ciascuna piattaforma specifica, garantendo coerenza e risonanza con l'audience target. Questo richiede una profonda comprensione dei diversi canali social e delle loro dinamiche, oltre che delle specificità del pubblico che si muove all'interno di essi.

Inoltre, una pratica del SMM responsabile e oculata comporta l'adesione a principi etici e normative legali. La privacy dei dati, la trasparenza, e il rispetto per la diversità e l'inclusività sono tutti aspetti vitali che devono essere integrati nelle strategie di social media. Il manager, in questo, non soltanto protegge il brand da possibili crisi o contraccolpi negativi, ma contribuisce attivamente a costruire un ambiente digitale più sano e positivo.

Il SMM deve, poi, operare con un occhio attento alle tendenze emergenti e all'innovazione tecnologica, mantenendo il brand al passo con l'evoluzione del panorama digitale. Questo non implica soltanto il saper cogliere nuove opportunità, ma anche la capacità di valutare criticamente quali innovazioni e pratiche sono più allineate con i valori e gli obiettivi del brand, assicurando che l'innovazione sia sempre funzionale e non fine a se stessa.

La gestione della reputazione e delle relazioni con la community rappresenta un altro pilastro fondamentale del SMM. Creare un legame autentico e fidato con l'audience non è solo questione di diffusione di messaggi, ma anche di ascolto attivo, partecipazione al dialogo, e dimostrazione di un impegno concreto nei confronti della community stessa. In tal senso, il Social Media Manager si erge come un ponte tra il brand e il suo pubblico, garantendo un flusso bidirezionale di comunicazione e valore.

La scalabilità e l'internazionalizzazione delle strategie di social media, infine, richiedono un approccio olistico e globalizzato. Saper adattare le strategie, i messaggi e le tattiche a diverse culture e mercati è essenziale per i brand che desiderano avere un impatto a livello internazionale, assicurando sempre un'alta qualità e pertinenza della comunicazione.

In sintesi, il Social Media Management si pone come una disciplina che richiede una molteplicità di competenze, un solido quadro etico, e una visione strategica acuta, sempre con il dito sul polso del perpetuo e rapido mutamento del mondo digitale. La maestria in questo campo si costruisce attraverso l'equilibrio di arte e analitica, creatività e strategia, innovazione e sostenibilità, fornendo un terreno fertile per il crescere e prosperare dei brand nell'effervescente e sfaccettato universo dei social media.

2. Piattaforme Social Principali • Overview di Facebook, Instagram, Twitter, LinkedIn, TikTok, e altre.

## 2. Piattaforme Social Principali

Le piattaforme social media rappresentano il cuore pulsante delle strategie di digital marketing e social media management. Ogni piattaforma ha caratteristiche peculiari, audience di riferimento, e specifici formati di contenuto, offrendo diverse opportunità e sfide per i brand. Di seguito, un'overview delle piattaforme principali:
• Facebook

- **Caratteristiche**: Versatilità nei formati di contenuto (foto, video, eventi, articoli), ampie funzionalità di targetizzazione pubblicitaria.
- **Audience**: Ampia e varia, tendenzialmente matura rispetto ad altre piattaforme.
- **Uso strategico**: Ideale per creare community, gestire eventi, implementare campagne pubblicitarie targetizzate, e fornire supporto clienti.

• Instagram

- **Caratteristiche**: Focalizzato su contenuti visivi (foto, video, storie), con un forte impatto estetico.
- **Audience**: Prevalentemente giovane, con un forte interesse per lifestyle, moda, viaggi, e food.

- **Uso strategico**: Efficace per brand image, storytelling visivo, influencer marketing, e campagne visive.
  - Twitter
- **Caratteristiche**: Piattaforma di microblogging con contenuti brevi e diretti, in tempo reale.
- **Audience**: Variegata, con un particolare interesse per notizie, politica, tecnologia, e sport.
- **Uso strategico**: Utilizzato per comunicazioni rapide, gestione di eventi live, servizio clienti in tempo reale, e monitoraggio delle tendenze.
  - LinkedIn
- **Caratteristiche**: Orientato al mondo professionale e B2B, contenuti generalmente più formali e informativi.
- **Audience**: Professionisti, aziende, e job seekers.
- **Uso strategico**: Network professionale, contenuti thought leadership, recruitment, e B2B marketing.
  - TikTok
- **Caratteristiche**: Contenuti video brevi e creativi, con un forte orientamento verso trend e challenge.
- **Audience**: Prevalentemente Gen Z e Millennials.
- **Uso strategico**: Engagement con un pubblico giovane, campagne virali, e collaborazioni con creator e influencer.
  - Pinterest

- **Caratteristiche**: Focalizzata su immagini e infografiche, meccanica dei "pin" e delle "board".
- **Audience**: Interesse per DIY, moda, design, ricette, e creatività.
- **Uso strategico**: Traffic driving verso siti e-commerce, esplorazione di tendenze, e branding visivo.
  - Snapchat
- **Caratteristiche**: Contenuti effimeri (snap), con una forte componente di realtà aumentata.
- **Audience**: Giovane, interessata a contenuti spontanei e divertenti.
- **Uso strategico**: Campagne dinamiche e giovanili, sperimentazioni AR, e storytelling immediato.
  - YouTube
- **Caratteristiche**: Piattaforma video con possibilità di creare canali, caricare video lunghi e fare streaming live.
- **Audience**: Molto ampia, con una leggera predominanza giovanile.
- **Uso strategico**: Video marketing, tutorial, recensioni, e contenuti educativi o di entertainment.

Ciascuna di queste piattaforme richiede una strategia specifica che tenga conto delle peculiarità del canale e delle aspettative della rispettiva audience. La scelta delle piattaforme da utilizzare e del modo di utilizzarle dovrebbe quindi derivare da un'attenta analisi del pubblico target, degli obiettivi aziendali e delle risorse disponibili, sempre tenendo presente che la coerenza e l'autenticità nella comunicazione sono chiavi universali per costruire relazioni solide e durature con l'audience.

Navigando più a fondo nel vasto mondo delle piattaforme social, è fondamentale osservare come ogni piattaforma evolva continuamente, introducendo nuove funzionalità e modificando algoritmi e formati.

Ad esempio, **Instagram** ha introdotto Reels come risposta al boom di TikTok, offrendo agli utenti la possibilità di creare contenuti video brevi e coinvolgenti. La piattaforma ha ampliato la sua offerta non solo mantenendosi salda nel panorama dei contenuti visivi, ma anche cercando di intercettare le nuove tendenze e le preferenze del pubblico più giovane.

**LinkedIn**, pur mantenendo un forte focus sul mondo professionale, ha visto una crescente popolarità dei contenuti "umanizzati" e autentici, oltre a un aumento dell'utilizzo di formati come i video, che permettono di creare una connessione più diretta e personale con l'audience.

E, ancora, **Facebook** ha incrementato le sue funzionalità legate agli eventi virtuali e alle dirette, diventando un punto di riferimento durante il periodo di lockdown globale, e dimostrando come la piattaforma sia capace di adattarsi a contesti mutevoli e bisogni emergenti del suo pubblico.

Analizzando poi **Twitter**, il suo valore unico nella gestione di eventi in tempo reale e nel dare voce a movimenti sociali e discussioni pubbliche ha assicurato alla piattaforma un ruolo distintivo nell'ecosistema social, fungendo da hub per notizie flash e conversazioni globali.

**TikTok**, d'altro canto, ha catalizzato l'attenzione grazie alla sua natura leggera e al contempo autentica, divenendo un laboratorio di creatività e spontaneità e inserendosi in modo prepotente tra i principali canali pubblicitari per le aziende che cercano di raggiungere un pubblico giovane e iperconnesso.

**Pinterest** ha mantenuto un forte ancoraggio alle tendenze e all'ispirazione visiva, rappresentando una fonte inesauribile per chi cerca idee e vuole esplorare nuovi concetti visivi, e allo stesso tempo un potente strumento per i marketer per predire tendenze emergenti e comportamenti di consumo.

La natura effimera e immediata di **Snapchat** ha permesso di esplorare nuove forme di storytelling digitale, incentrate sull'attimo e su un'estetica grezza e autentica, rispecchiando la crescente richiesta di "realness" da parte dell'audience.

**YouTube** ha continuato a rappresentare una piattaforma chiave per contenuti video di varia natura, dall'educativo all'intrattenimento, e con l'introduzione di YouTube Shorts ha cercato di appropriarsi di una fetta del mercato dei video brevi e verticali.

Queste osservazioni ci portano a riflettere su come il ruolo del Social Media Manager non sia statico e ancorato unicamente alle competenze attuali, ma richieda una costante attitudine all'apprendimento e all'aggiornamento. Ogni piattaforma evolve e, con essa, anche le strategie più efficaci per comunicare e connettersi con l'audience di riferimento.

Inoltre, l'aspetto della privacy e della sicurezza dei dati degli utenti è diventato un tema sempre più centrale nel dibattito pubblico e nella gestione delle piattaforme social. In questo contesto, il Social Media Manager deve anche essere attrezzato per navigare tra le normative sulla privacy, le aspettative degli utenti e la creazione di campagne efficaci che rispettino questi parametri.

Il social media management, quindi, si articola in una danza costante tra l'attuale e il futuro, tra il mantenimento delle best practices e l'esplorazione di nuovi orizzonti e possibilità, mantenendo sempre al centro dell'attenzione il valore per l'utente e l'autenticità nella comunicazione.

Delicatamente tuffandoci ulteriormente nel mondo delle piattaforme social, scopriamo come l'integrazione con altre tecnologie e piattaforme sia diventato un aspetto cruciale della strategia di social media management. Ad esempio, l'integrazione di **Instagram** e **Facebook** con piattaforme di e-commerce ha creato un nuovo ambiente per lo shopping online, denominato "social commerce", che consente agli utenti di acquistare prodotti direttamente attraverso i post e le storie social.

Nel dettaglio, il **Social Commerce** ha riscritto le regole del retail digitale, rendendo il processo di acquisto ancor più fluido e integrato nell'esperienza di navigazione social. Questo richiede al social media manager non solo di comprendere le dinamiche di vendita online, ma anche di integrare strategie di social media marketing con quelle di e-commerce, sfruttando ad esempio le funzionalità di Instagram Shopping per taggare prodotti nei post o nelle storie, e creando campagne pubblicitarie che guidino direttamente all'acquisto.

A tutto questo si aggiunge un ulteriore livello di complessità rappresentato dai **Dati e dalle Analytics**. Ogni piattaforma offre una serie di dati e metriche che permettono di analizzare le prestazioni dei contenuti e delle campagne pubblicitarie: dalla portata all'engagement, dalle visualizzazioni video ai clic sul sito web. Il Social Media Manager deve quindi possedere solide competenze analitiche e una comprensione chiara di come interpretare e applicare questi dati per ottimizzare le strategie e garantire il raggiungimento degli obiettivi.

Parlando di **Engagement**, il dialogo e l'interazione con l'audience su ogni piattaforma richiede un approccio personalizzato. Ad esempio, mentre Twitter può richiedere reattività e un tono più informale e diretto, LinkedIn potrebbe richiedere un approccio più formale e professionale. Comprendere e adattarsi ai diversi "linguaggi" e aspettative delle diverse community è quindi fondamentale per creare un'interazione significativa e costruire relazioni positive con gli utenti.

Allo stesso modo, il **Content Marketing** attraverso i social media richiede una pianificazione meticolosa dei contenuti, con un calendario editoriale ben strutturato e una varietà di formati adattati a ciascuna piattaforma. La creazione di contenuti, che sia la scrittura di copy persuasivi o la creazione di immagini e video accattivanti, è un'altra competenza chiave nel toolkit del social media manager, assieme alla capacità di adattare ciascun contenuto al medium e all'audience di riferimento.

Il paesaggio dei social media è inoltre fortemente influenzato dai **Trend di Settore e dalle Tendenze Culturali**. Le sfide di TikTok, i trend dei meme su Instagram, o le discussioni su argomenti d'attualità su Twitter richiedono che il manager sia sempre aggiornato e pronto a catturare queste onde, integrando le tendenze nel piano editoriale in modo coerente e autentico.

Da non sottovalutare è anche il ruolo della **Pubblicità Pay-Per-Click (PPC) e delle Campagne Sponsorizzate** nelle strategie di social media. Ogni piattaforma offre diverse opzioni per la promozione dei contenuti e per raggiungere target specifici attraverso segmentazioni demografiche, geografiche, o basate sugli interessi. La capacità di creare e ottimizzare campagne pubblicitarie, gestire budget e interpretare i dati per migliorare le performance è vitale per amplificare la portata dei contenuti e raggiungere obiettivi specifici. In questo contesto, il ruolo del social media manager si arricchisce e si complica, dovendo bilanciare creatività e analisi, pianificazione e reattività, strategia e autenticità, tessendo una rete complessa ma al contempo affascinante di interazioni e opportunità nel vasto mondo del social media.

Immergendoci ulteriormente nel vasto oceano del Social Media Management, la figura del gestore di social media deve esaminare e integrare vari aspetti chiave per rimanere competitiva e innovativa. Oltre a comprendere a fondo ogni piattaforma, bisogna considerare l'importanza delle **Strategie Cross-Platform**, che implicano la capacità di integrare e coordinare le attività di marketing e comunicazione attraverso varie piattaforme in modo coeso e sinergico.
Esplorando il concept di **User Generated Content (UGC)**, riconosciamo come esso sia diventato un pilastro fondamentale per molte marche per arricchire i loro contenuti e creare una comunità attiva e partecipativa. Il Social Media Manager deve, quindi, non solo incentivare e facilitare la creazione di UGC, ma anche monitorare e gestire i contenuti generati

dagli utenti, assicurando che siano in linea con l'immagine e i valori del brand.

La **Reputazione Online** e la gestione delle crisi sono altri elementi che il Social Media Manager deve abilmente navigare. La natura virale dei contenuti social può facilmente amplificare sia le lodi che le critiche, e la gestione efficace della comunicazione, soprattutto in momenti di crisi o di feedback negativo, è cruciale per mantenere una reputazione positiva e trasparente del brand online.

Inoltre, il **Legal Compliance**, ovvero il rispetto delle normative legali e delle linee guida delle piattaforme, è un altro elemento che i gestori dei social media devono tener conto. Questo include una conoscenza chiara delle norme relative alla pubblicità, copyright, privacy, e protezione dei dati, assicurando che tutte le attività di social media siano condotte in modo etico e conforme.

Il **Micro-Targeting** e la personalizzazione dei contenuti diventano essenziali nel creare messaggi che risuonino con segmenti specifici dell'audience. Il Social Media Manager dovrebbe saper utilizzare i dati e le analisi delle piattaforme per comprendere i diversi segmenti del proprio pubblico e creare contenuti e campagne che parlino direttamente alle loro esigenze e interessi.

Non dimentichiamo l'importanza del **Social Listening**, che non è solo monitorare e rispondere alle interazioni dirette con il brand, ma anche comprendere e analizzare le conversazioni e i sentimenti degli utenti nei confronti del marchio in tutto l'ecosistema online. Questo può fornire intuizioni preziose sul posizionamento del brand, sulla percezione del pubblico, e può anche segnalare potenziali crisi prima che esplodano.

Inoltre, la **Sostenibilità e l'Etica** nel social media management stanno diventando sempre più centrali, poiché gli utenti diventano sempre più consapevoli e esigenti riguardo alle pratiche etiche delle aziende. La comunicazione e le attività sui social media devono quindi riflettere un impegno autentico verso la sostenibilità e l'etica aziendale, e il Social Media Manager deve essere in grado di comunicare questo impegno in modo autentico e trasparente.

Da considerare è anche l'**Accessibility**, garantendo che i contenuti siano accessibili a tutti gli utenti, compresi coloro che hanno disabilità visive o uditive. Questo può includere l'uso di sottotitoli nei video, la fornitura di alternative testuali per il contenuto visivo e l'utilizzo di un linguaggio e una formattazione chiari e comprensibili.

Il social media management si trasforma quindi in un mosaico di competenze, strategie e considerazioni che vanno ben oltre la semplice pubblicazione di contenuti, e si immerge in aspetti di strategia, analisi, psicologia, comunicazione e tecnologia. In questo ambiente dinamico e sfaccettato, il Social Media Manager diventa un equilibrista che bilancia tutti questi elementi, assicurando che il marchio navigui con successo nel continuamente mutevole panorama dei social media.

Navigando ancora più in profondità nella materia, il **Customer Service** e la **Customer Experience** (CX) rappresentano altri elementi fondamentali nel campo del social media management. Gli utenti si aspettano risposte rapide e supporto efficace attraverso i canali social e, di conseguenza, il manager deve garantire un servizio clienti impeccabile, che sia in grado di risolvere problemi, gestire reclami, e valorizzare feedback positivi. Il tutto deve essere realizzato mantenendo una comunicazione coerente, tempestiva e che rispecchi i valori del brand.

Non meno importante, le **Partnership e le Collaborazioni** con altri brand, influencer, e creatori di contenuti possono offrire opportunità esponenziali per estendere la portata e l'impatto delle attività di social media. Saper identificare e gestire partnership strategiche richiede non solo una comprensione chiara degli obiettivi e dei valori del brand, ma anche la capacità di negoziare e gestire relazioni, assicurando che tutte le collaborazioni siano mutualmente vantaggiose e autentiche.

Ancora, il concetto di **Employee Advocacy**, cioè incoraggiare i dipendenti dell'azienda a diventare ambasciatori del brand sui loro profili social personali, rappresenta un'altra tattica sempre più adottata dalle aziende. Il social media manager può quindi coordinare programmi di advocacy, fornendo linee guida, formazione e supporto ai dipendenti per divulgare in modo efficace il messaggio del brand nel rispetto delle politiche aziendali.

Allargando il campo visivo alle **Dinamiche Globali**, comprendere e rispettare le varie culture e norme sociali diventa fondamentale, specialmente per i brand che operano a livello internazionale. Ciò comporta non solo la localizzazione dei contenuti in diverse lingue, ma anche l'adattamento delle strategie di comunicazione e marketing per risuonare con le specifiche audience culturali e geografiche.

La **Gestione della Crescita** e delle community è un altro pilastro fondamentale. Un aspetto che implica l'adozione di strategie che non solo attraggano nuovi follower, ma anche ne mantengano l'interesse e l'engagement nel tempo. Ciò può includere la creazione di contenuti esclusivi, l'organizzazione di eventi virtuali o fisici, e l'istituzione di programmi di fedeltà o riconoscimenti per gli utenti più attivi e leali.

Il **Neuromarketing** e la psicologia del consumatore giocano anche un ruolo importante nel comprendere cosa attira l'attenzione e cosa motiva l'azione all'interno delle piattaforme social. La conoscenza di principi come le leggi della percezione visiva, la teoria del colore, e la psicologia motivazionale può aiutare il Social Media Manager a creare contenuti più coinvolgenti e campagne più efficaci.

Pensando inoltre alla **Scalabilità** delle attività di social media, è essenziale implementare strumenti e processi che permettano al brand di gestire in modo efficiente un aumento delle dimensioni della community e del volume delle interazioni, senza compromettere la qualità del servizio e dell'engagement.

Il ruolo del social media manager, dunque, si infittisce di sfumature e di competenze trasversali, richiedendo un aggiornamento costante e la capacità di navigare con agilità tra tendenze emergenti, tecnologie innovative, e dinamiche sempre più complesse del mondo dei social media.

Alla luce di quanto analizzato, la professione del Social Media Manager si consolida come una figura poliedrica, le cui competenze spaziano attraverso diversi domini del sapere e delle prassi operative, in un ambiente digitale che si caratterizza per la sua intrinseca volatilità e la sua perpetua evoluzione.
La necessità di intraprendere strategie sempre più sofisticate emerge come un imperativo categorico, dove l'analisi dettagliata delle varie piattaforme social diventa il fondamento su cui edificare tattiche di comunicazione e marketing che rispondano in modo mirato e personalizzato alle peculiari esigenze dell'audience di riferimento. La definizione di obiettivi misurabili, realistici e tempisticamente definiti, s'intreccia con l'adozione di un approccio che coniuga creatività e analisi data-driven, propellendo il brand verso un engagement autentico e una visibilità amplificata.

La sinergia tra diverse piattaforme richiede una competenza trasversale nella gestione dei contenuti, mantenendo una coerenza di brand, pur rispettando le specificità di ciascun canale. Ogni piattaforma, da Facebook a TikTok, da Instagram a LinkedIn, presenta infatti delle peculiarità in termini di formato dei contenuti, tono della comunicazione, e segmenti demografici, che devono essere minuziosamente comprese e strategicamente sfruttate per potenziare la presenza online del brand in maniera olistica.

In questo contesto, la gestione della reputazione, la responsività nella customer care, l'etica della comunicazione, e la creazione di una community solida e interattiva, si stagliano come pilastri su cui innalzare una presenza digitale credibile e di impatto. La cura nel costruire relazioni sia con l'utente singolo sia con altri brand e influencer, cementa un ecosistema virtuale in cui il brand può prosperare e crescere, trasformando follower in ambasciatori e clienti in fan.

La necessità di una navigazione accorta tra le leggi della psicologia del consumatore, le normative legali e le best practices del marketing digitale, coniugata con un'attenzione scrupolosa verso le dinamiche culturali e sociali delle diverse geografie digitali, esalta il ruolo del Social Media Manager come un vero e proprio direttore d'orchestra. In questo ruolo, il manager non solo coordina le varie attività e strategie, ma anche ascolta, interpreta, e modula l'azione del brand nel dinamico concerti delle interazioni online, orchestrando la presenza del brand in una sinfonia armoniosa che risuona attraverso i diversi canali social.

Pertanto, il Social Media Manager non è soltanto il custode della presenza online del brand, ma diviene un narratore, un analista, un comunicatore, un risolutore di problemi, e un innovatore, che attraverso l'accurata gestione e l'astuta strategizzazione nei social media, contribuisce attivamente alla costruzione e alla prosperità dell'immagine e del successo del brand nel digitale, facendo leva su un mix equilibrato di creatività, strategia, analisi e interazione umana.

In definitiva, il lavoro di un Social Media Manager sancisce un ponte tra il brand e la sua audience, edificando un rapporto bidirezionale basato su fiducia, autenticità, e condivisione di valori, nell'impegnativa ma affascinante arena della comunicazione digitale.

La creazione di un profilo aziendale accattivante e professionale sui social media è un processo che va ben oltre l'implementazione di informazioni di base. Richiede una pianificazione strategica, una comprensione approfondita del pubblico di riferimento e un impegno costante per mantenere e aggiornare i contenuti. Le best practices per creare e gestire un profilo aziendale efficace sono numerose e fondamentali per stabilire una solida presenza online:

**1. Coerenza del Branding:**

- **Identità Visiva:** Utilizzare loghi, colori e immagini coerenti con l'identità del brand in tutti i canali social.
- **Tono della Comunicazione:** Mantenere un tono e uno stile di comunicazione uniforme che rispecchi la personalità del brand.

**2. Informazioni Chiare e Complete:**

- **Bio/Descrizione:** Rendere la bio o la descrizione chiara, concisa e informativa.
- **Dati di Contatto:** Includere informazioni come indirizzo e-mail, numero di telefono, e indirizzo fisico se pertinente.

**3. Optimizzazione SEO:**

- **Parole Chiave:** Utilizzare parole chiave pertinenti alla tua industria e attività nella bio e nelle informazioni del profilo.

## 4. Immagini di Alta Qualità:

- **Foto del Profilo:** Selezionare un'immagine del profilo riconoscibile, come il logo dell'azienda.
- **Immagine di Copertina:** Scegliere un'immagine di copertina che sia visivamente accattivante e che rifletta il brand.

## 5. CTA (Call to Action):

- Inserire chiari inviti all'azione, guidando gli utenti verso comportamenti specifici (es. "Visita il nostro sito" o "Scopri di più").

## 6. Link Rilevanti:

- **Sito Web:** Assicurati di inserire il link al tuo sito web.
- **Altri Canali Social:** Promuovere anche altri canali social dell'azienda se pertinenti.

## 7. Consistenza dei Contenuti:

- Pianificare i contenuti in modo regolare e coerente per mantenere l'engagement dell'audience.

## 8. Interazione e Engagement:

- Rispondere prontamente ai messaggi e ai commenti per mostrare che l'azienda è attiva e presente.

## 9. Storie e Highlights:

- Utilizzare le storie (dove disponibili) per condividere contenuti temporanei o in evidenza.
- Creare highlights per raggruppare e mostrare storie importanti o informative.

## 10. Utilizzo dei Post Pinned:

- Sfruttare i post fissi (se disponibili sulla piattaforma) per mettere in evidenza contenuti importanti o promozioni.

## 11. Adattamento al Formato della Piattaforma:

- Adeguare il contenuto e le immagini alle specifiche di ogni piattaforma (es. dimensioni delle immagini, lunghezza del testo, etc.).

## 12. Strategie di Hashtag:

- Implementare una strategia di hashtag coerente e mirata per aumentare la visibilità dei post.

## 13. Racconto del Brand:

- Utilizzare lo spazio del profilo per raccontare la storia del brand, sottolineando mission, vision e valori.

## 14. Compliance Legale:

- Assicurarsi che il profilo e i contenuti condivisi siano conformi alle leggi e alle direttive delle piattaforme.

## 15. Analisi e Monitoraggio:

- Monitorare regolarmente le metriche del profilo per comprendere l'efficacia delle strategie adottate e apportare miglioramenti.

## 16. Uso di Features Specifiche:

- Sfruttare appieno le caratteristiche peculiari di ogni piattaforma (es. shopping su Instagram, articoli su LinkedIn, etc.).

L'intento deve essere quello di costruire un profilo che non solo funga da vetrina per prodotti o servizi ma che diventi un punto di incontro e interazione tra il brand e la sua community. Un'accurata e mirata strategizzazione nel design e nella gestione del profilo aziendale può risultare in un engagement accresciuto, in una maggiore visibilità e, ultimamente, in un ROI positivo nelle attività digitali del brand.

Creare un profilo aziendale nei social media che sia efficace e attraente è un processo che si nutre continuamente dell'evoluzione delle piattaforme e delle preferenze degli utenti. Oltre agli aspetti menzionati precedentemente, è imprescindibile considerare diversi altri elementi e strategie che si sviluppano attorno a un contesto sempre più dinamico e competitivo nel mondo dei social media.

**Localizzazione e Adattamento Culturale**

Esplorare le potenzialità della localizzazione dei contenuti è fondamentale per le aziende che operano a livello internazionale. Questo non solo riguarda la traduzione della lingua ma anche l'adattamento dei contenuti alla cultura, ai costumi e alle tendenze locali. Offrire contenuti risonanti e culturalmente pertinenti può elevare la percezione del brand e accrescere la rilevanza in diversi mercati.

**Contenuti UGC (User-Generated Content)**

Incorporare nel profilo aziendale contenuti generati dagli utenti può essere un efficace stimolo per aumentare l'interazione e la lealtà del pubblico. Presentare foto, storie o recensioni degli utenti, ovviamente previa autorizzazione, contribuisce a costruire una community attiva e partecipativa attorno al brand.

**Live Streaming e Video**

L'uso di video e sessioni di live streaming rappresenta un metodo potente per creare autenticità e trasparenza, permettendo al brand di connettersi con il pubblico in tempo reale. Che si tratti di presentazioni di nuovi prodotti, sessioni Q&A, o dietro le quinte, la dimensione video amplifica le potenzialità comunicative del brand.

**Mobile Optimization**

Assicurarsi che il profilo aziendale e i contenuti siano ottimizzati per la visualizzazione mobile è imperativo in un'era in cui gli smartphone dominano la navigazione online. Dall'immagine del profilo alle descrizioni, ogni elemento deve essere facilmente leggibile e navigabile da dispositivi mobili.

## Collaborazioni e Partnership

Il profilo aziendale può essere utilizzato come piattaforma per presentare collaborazioni e partnership con altri brand o influencer. Questo tipo di contenuto può ampliare la portata del brand e attirare nuovi segmenti di pubblico.

## Storytelling Emotivo

L'arte di raccontare storie che suscitano emozioni è fondamentale per creare una connessione più profonda con l'audience. Narrare le vicende del brand, dei fondatori, o dei clienti attraverso il profilo aziendale può umanizzare il brand e renderlo più vicino alle persone.

## Campagne e Contest

Organizzare campagne e contest attraverso il profilo aziendale potenzia l'interattività e l'engagement del pubblico. Non solo incoraggia la partecipazione ma anche genera contenuti dinamici e coinvolgenti che possono essere condivisi e diffusi all'interno della rete.

## Educazione del Consumatore

Fornire informazioni che educano il consumatore, sia riguardo l'utilizzo dei prodotti dell'azienda che su tematiche più ampie relative al settore, stabilisce il brand come un'autorità nel suo campo e un punto di riferimento informativo.

## Responsabilità Sociale

Presentare attraverso il profilo le iniziative di responsabilità sociale dell'azienda, i progetti

ambientali, o le partnership caritatevoli,
permette di comunicare i valori e l'impegno del
brand nei confronti di temi socialmente rilevanti.

## Autenticità e Trasparenza

Mostrare momenti autentici e genuini
dell'azienda, dei dipendenti, o del processo
produttivo, contribuisce a costruire una
reputazione positiva e trasparente del brand.
Incorporando questi elementi nel profilo
aziendale, esso diventa non solo un punto di
contatto tra il brand e il pubblico ma un hub
dinamico e multiforme dove i valori, le storie e le
interazioni si fondono, creando un'esperienza
immersiva e complessa per l'utente e costruendo
un rapporto che va oltre la semplice transazione
commerciale. Si delinea, dunque, un ecosistema
in cui il dialogo continuo e l'engagement
reciproco tra brand e pubblico forgiano una
relazione duratura e profonda, che si traduce in
lealtà e fiducia.

Continuare a esplorare le sfaccettature della
creazione e gestione di un profilo aziendale sui
social media porta all'attenzione ulteriori concetti
e strategie vitali:

## Privacy e Sicurezza

La gestione attenta delle impostazioni di privacy
e sicurezza è fondamentale per proteggere le
informazioni dell'azienda e mantenere un

ambiente sicuro per la community. Avere chiare linee guida sulle informazioni da condividere e verificare regolarmente le impostazioni di sicurezza aiuta a prevenire potenziali problemi.

## Integrazione Omnicanale

Assicurarsi che il profilo aziendale sui social media sia integrato con altre piattaforme e canali di comunicazione (sito web, e-commerce, newsletter, etc.) fornisce un'esperienza utente fluida e omogenea. Il passaggio da un canale all'altro dovrebbe essere il più naturale possibile, fornendo informazioni coerenze e azioni facilmente eseguibili attraverso i diversi punti di contatto.

## Accessibilità

Creare contenuti accessibili, che considerino diversi bisogni e limitazioni (es. utilizzo di descrizioni alternative per le immagini, sottotitoli nei video, ecc.), non solo è un impegno etico ma amplia anche la raggiungibilità dei contenuti a un pubblico più ampio.

## Analisi del Sentiment

Monitorare e analizzare il sentiment dell'audience nei commenti, nelle recensioni e nelle menzioni può offrire insight preziosi sulle percezioni del pubblico e aiutare a modellare futuri contenuti e strategie di comunicazione.

## Architettura delle Informazioni
Strutturare le informazioni in modo logico, facilmente navigabile e comprensibile, guida l'utente attraverso i contenuti del profilo, migliorando l'usabilità e l'esperienza utente.

## Contesti di Crisi
Preparare il profilo aziendale alla gestione di crisi comunicative, avendo piani d'azione e comunicati predefiniti, può minimizzare i danni in momenti di criticità, offrendo risposte tempestive e adeguate.

## User Persona
La creazione e comprensione delle user persona, rappresentazioni semi-fittizie del cliente ideale, guidano nella creazione di contenuti mirati e nella personalizzazione delle interazioni, risuonando efficacemente con l'audience target.

## Elementi Visivi Personalizzati
Utilizzare elementi visivi distintivi e personalizzati (filtri, GIF, stickers, etc.) non solo rafforza l'identità del brand ma offre anche agli utenti strumenti per interagire con il brand in modo ludico e creativo.

## Feed Estetico e Coerente
Mantenere un feed visivamente coerente e armonioso, con immagini e stili grafici omogenei, costruisce un'impressione solida e riconoscibile del brand.

## Politiche della Community

Stabilire e comunicare chiaramente le politiche della community e le linee guida per l'interazione nella pagina è fondamentale per mantenere un ambiente rispettoso e positivo, e gestire eventuali comportamenti inappropriati o offensivi.

## Uso Strutturato delle Playlist o Collezioni

Organizzare i contenuti video e post in collezioni o playlist, basate su temi o argomenti specifici, facilita gli utenti a scoprire contenuti correlati e a navigare più profondamente attraverso le offerte del brand.

## Webinar e Eventi

L'organizzazione di webinar o eventi virtuali attraverso i social media può accrescere l'engagement, portare valore aggiunto e posizionare l'azienda come leader del settore.

## Uso di Chatbot

Implementare chatbot per la gestione delle richieste dei clienti al di fuori degli orari di ufficio o per domande frequenti, assicura una risposta tempestiva e può indirizzare l'utente verso ulteriori risorse.

## Approfondimenti e Case Study

Presentare studi di caso, testimonianze o approfondimenti dettagliati sui prodotti/servizi eleva l'autorità del brand e fornisce ai potenziali clienti insight preziosi e realistici sulle offerte dell'azienda.

## Loyalty Program

Integrare programmi di fedeltà e riconoscimento per gli utenti più attivi e fedeli alla pagina o al brand, attraverso sconti, offerte esclusive o contenuti premium.

## Guest Posting

Invitare esperti del settore o influencer a contribuire con contenuti esclusivi per il profilo può arricchire l'offerta e attirare nuovi follower. Le potenzialità e le sfaccettature della gestione di un profilo aziendale sui social media sono in effetti vastissime e in continua evoluzione. Ogni elemento aggiunto, strategia implementata o contenuto condiviso rappresenta un tassello che contribuisce a definire la presenza digitale del brand, e, in ultima analisi, a modellare l'esperienza e la percezione dell'utente. La sua gestione e ottimizzazione costante rappresentano, quindi, non solo una necessità ma una vera e propria arte che combina marketing, comunicazione, customer service e branding in un unico, dinamico flusso.

Navigare nelle acque della gestione di un profilo aziendale sui social media apre una miriade di aspetti che meritano considerazione per garantire un approccio all'engagement e alla comunicazione davvero efficace.

## Design Inclusivo

Andare oltre l'accessibilità per abbracciare un design realmente inclusivo, il quale considera un'ampia varietà di utenti e le loro esigenze, significa creare contenuti che sono fruibili e apprezzabili da tutti, indipendentemente dalle loro capacità o limitazioni.

## Contestualizzazione dei Contenuti

Creare contenuti che siano strettamente rilevanti per i momenti temporali o gli eventi globali/locali può stabilire una connessione più intensa con l'audience, mostrando che il brand è attuale e sincronizzato con il mondo esterno.

## Creazione di Serie Tematiche

Strutturare serie tematiche di contenuti, che si sviluppano attraverso diversi post o storie, può creare aspettativa e coinvolgimento da parte dell'audience che seguirà il brand per "vedere cosa succede dopo".

## Feedback e Recensioni

Implementare un sistema in cui il feedback e le recensioni dei clienti sono valorizzati, condividendo successi e apprendimenti, o creando spazi dove i clienti possono condividere le loro esperienze.

## Re-Posting e Condivisioni

Valorizzare i contenuti provenienti da altri creatori (sempre citandone la fonte) o dalle filiali/reperti dell'azienda, dimostrando apertura e supporto verso la community esterna e interna.

## Segnalazione di Novità del Settore

Posizionare il profilo aziendale come una fonte affidabile e tempestiva per le novità e gli aggiornamenti del settore, rinforzando la percezione del brand come autorità nell'ambito.

## Visual Data e Infografiche

L'uso di visual data e infografiche per rendere comprensibili a tutti dati e informazioni complesse, non solo semplifica la comprensione ma è anche più condivisibile e visivamente accattivante.

## Immagini di Qualità

Assicurarsi che tutte le immagini utilizzate siano di alta qualità, chiare, e pertinenti al contenuto con cui sono abbinate, rafforzando la percezione professionale del brand.

## Sperimentazione di Nuovi Formati

Non aver paura di sperimentare nuovi formati di contenuto o funzionalità recentemente lanciate dalle piattaforme social, come i Reels su Instagram o i Spaces su Twitter, per mantenere il profilo fresco e innovativo.

## Uso di Geotag

Implementare l'uso di geotag per connettere il brand a specifiche località, rendendolo rilevante per le comunità locali e migliorando la visibilità nelle ricerche geolocalizzate.

### FAQs e Risposte

Creare spazi o post dedicati a domande frequenti, offrendo risposte chiare e dirette, può non solo essere di aiuto per l'audience ma alleggerire il carico sul servizio clienti.

### Incorporamento di Augmented Reality (AR)

Esplorare l'uso di realtà aumentata attraverso filtri o altre esperienze interattive può creare momenti memorabili e condivisibili tra il brand e l'utente.

### Showcasing del Team

Presentare i membri del team, mostrando il lato umano dell'azienda, può costruire connessioni più personali e umanizzare il brand nell'ambiente digitale.

### Sostenibilità e Ambiente

Comunicare chiaramente e onestamente gli sforzi dell'azienda verso la sostenibilità e il rispetto dell'ambiente, mostrando non solo i successi ma anche le sfide e il percorso percorso.

### Raccolte Fondi e Cause

Partecipare o lanciare iniziative di raccolta fondi o supporto a cause specifiche, mostrando l'impegno del brand verso temi di rilevanza sociale.

### Unboxing e Demo

Presentare prodotti attraverso video di unboxing o dimostrazioni pratiche, permettendo agli utenti di avere un assaggio realistico e pratico dei prodotti.

**Behind the Scenes**

Mostrare ciò che accade dietro le quinte, dai processi produttivi agli eventi aziendali, offrendo uno sguardo esclusivo all'interno dell'azienda.

**Cooperazione con altri Brand**

Stabilire collaborazioni e partnership con altri brand per la creazione di contenuti congiunti o iniziative speciali, allargando l'orizzonte del pubblico e condividendo le risorse creative.

Ogni dettaglio, quando intrecciato con sapienza e strategicità nella tela del profilo aziendale, genera un quadro multifaceted che riflette non solo l'immagine ma l'essenza e i valori del brand. Man mano che il paesaggio dei social media continua a evolversi, anche le strategie e le prassi per gestire un profilo aziendale si adattano, imparando e crescendo attraverso l'iterazione continua e l'innovazione costante.

Concludendo, la creazione di un profilo aziendale sui social media che sia accattivante e professionale richiede un'attenta e strategica amalgama di elementi chiave, con una mira focalizzata sia sull'estetica sia sul contenuto informativo e interattivo. La precisa calibrazione di visivi attraenti, contenuti di qualità, e un dialogo aperto e autentico con l'audience si manifesta non solo come una finestra attraverso la quale gli osservatori possono intravedere il cuore dell'azienda, ma anche come un portale attraverso il quale possono comunicare, interagire, e crescere insieme al brand.

La coesione visiva, attraverso immagini e design ad alta qualità e coerenza stilistica, dà vita a un'identità digitale riconoscibile e memorabile. È fondamentale che ogni immagine, ogni video, e ogni grafica non solo parli al pubblico, ma parli anche *di* l'azienda, riflettendo i suoi valori, la sua etica, e la sua estetica. L'impiego intelligente di grafiche, foto e video di qualità, nonché la scelta accurata di toni e colori, definiscono un'estetica brandizzata che agisce come un ancoraggio visivo nell'oceano infinito dei social media.

D'altro canto, i contenuti, disegnati con autenticità e intenzionalità, costruiscono un ponte tra l'azienda e la sua audience. Che si tratti di post informativi, aggiornamenti aziendali, storie di clienti, o contenuti user-generated, ogni frammento condiviso dovrebbe essere un mattoncino che contribuisce a costruire il paesaggio narrativo dell'azienda, disegnando non solo ciò che offre, ma anche ciò che rappresenta e sostiene.

La bidirezionalità della comunicazione nei social media, inoltre, permette un dialogo dinamico con il pubblico, offrendo non solo una piattaforma attraverso cui l'azienda può parlare, ma anche orecchie attraverso cui può ascoltare. Ogni commento, messaggio e interazione diventa una preziosa gemma di insight, offrendo una visione più chiara delle necessità, dei desideri, e delle percezioni dei clienti e della community. Intrecciando questi elementi insieme —estetica, contenuto, e comunicazione— il profilo aziendale si transforma da un semplice canale informativo a una vivace, dinamica piattaforma di interazione, dove il brand e l'audience possono coesistere, comunicare e collaborare. E qui risiede la magica sintesi di un profilo aziendale ben curato: non solamente una vetrina, ma un portale aperto di scambio, apprendimento e crescita condivisa, che si muove e si adatta in tempo reale con il pulsare della sua community e del mercato.

Le sfumature e i dettagli di questo processo sono in costante evoluzione, modellandosi attorno ai cambiamenti del paesaggio digitale e dell'ecosistema di mercato. In questo contesto, la malleabilità e la prontezza a imparare, adattarsi, e innovare sono cruciale. Un profilo aziendale nei social media non è mai veramente "completo" o "finito", ma è piuttosto un entità viva, in continua crescita e trasformazione, che respira al ritmo sincronizzato dell'azienda e della sua comunità.

4. Targeting del Pubblico • Identificare e comprendere l'audience di riferimento

L'arte del targeting del pubblico su social media non si limita semplicemente a identificare un demografico; è un processo dinamico e stratificato che richiede un'analisi profonda, un'intuizione aguzza, e una continua adattabilità. Immersi in un ambiente digitalizzato e in costante evoluzione, i social media manager devono navigare tra marea di dati, tendenze e comportamenti umani per sviluppare strategie di targeting che siano sia precise che flessibili.

**Comprendere l'Audience**

- **Analisi Demografica:** Esaminare fattori quali età, genere, località geografica, professione, e altri attributi demografici per costruire un profilo di base dell'audience.
- **Interessi e Comportamenti:** Andare oltre i dati demografici per esplorare gli interessi, le passioni, i comportamenti d'acquisto, e le abitudini online dell'audience.
- **Percorsi d'Utente:** Studiare i journey dell'utente, ovvero i cammini che i consumatori

percorrono attraverso i vari punti di contatto con il brand online e offline.

- **Feedback e Interazioni:** Ascoltare attivamente e analizzare i feedback e le interazioni dell'audience sui social media per intuire le loro esigenze e aspettative.

**Segmentazione dell'Audience**

- **Cliente Ideale:** Definire chiaramente il cliente ideale o il "cliente tipo", creando personas che rappresentino archetipi dei clienti reali.

- **Gruppi e Comunità:** Identificare e analizzare i gruppi o le comunità di persone che mostrano un interesse condiviso verso il brand o il settore.

- **Micro-Targeting:** Suddividere l'audience in sottogruppi più specifici, basati su caratteristiche o comportamenti univoci.

**Personalizzazione dei Contenuti**

- **Creazione di Contenuti Segmentati:** Sviluppare contenuti che parlino direttamente ai bisogni, desideri, e sfide delle diverse segmentazioni dell'audience.

- **Messaggi Personalizzati:** Utilizzare le informazioni raccolte per creare messaggi che risuonino su un livello personale con l'audience.

- **Customer Journeys Personalizzati:** Creare percorsi clienti personalizzati che guidino ogni segmento attraverso un'esperienza unica e rilevante.

### Test e Ottimizzazione

- **A/B Testing:** Condotto regolarmente su vari elementi (come i CTA, le immagini, o i copy dei messaggi) per capire cosa risuona di più con l'audience.
- **Analisi delle Metriche:** Esaminare da vicino le metriche delle campagne per valutare l'efficacia delle strategie di targeting.
- **Adattamento Strategico:** Essere pronti a modificare e adattare le strategie basandosi su dati, feedback, e performance delle campagne.

### Costruzione di Relazioni

- **Comunicazione Bidirezionale:** Favorire un dialogo aperto e bidirezionale con l'audience, mostrando che il brand è attento e reattivo.
- **Community Building:** Creare spazi in cui l'audience può connettersi, condividere, e costruire una comunità attorno al brand.
- **Programmi di Fedeltà:** Implementare programmi che ricompensino l'engagement e la fedeltà dei clienti.

Ogni elemento qui non è isolato, ma intricatamente connesso in un tessuto complesso che compone la strategia di targeting complessiva. Gli insight ricavati da un'area possono illuminare e informare le strategie in un'altra, creando un ecosistema di tattiche di targeting che sono simultaneamente robuste e agili. La chiave è mantenere un equilibrio tra l'essere metodicamente strategici e reattivamente creativi, assicurando che le strategie di targeting siano sempre allineate non solo con chi è l'audience oggi, ma anche con chi potrebbe diventare domani.

**Utilizzo di Strumenti e Piattaforme di Analisi**

- **Strumenti Analytics:** L'implementazione di strumenti di analisi e monitoraggio come Google Analytics, Facebook Insights e altri strumenti specifici delle piattaforme per un esame dettagliato delle metriche e del comportamento dell'utente.
- **Analisi della Concorrenza:** Esaminare con attenzione le strategie dei concorrenti e il loro engagement con il pubblico per identificare gap di opportunità e aree di miglioramento.

**Engagement e Ascolto Sociale**

- **Tattiche di Engagement:** Implementare strategie di engagement specifiche come sondaggi, Q&A, e contenuti interattivi per stimolare l'interazione e raccogliere insight diretti dall'audience.
- **Social Listening:** Utilizzare strumenti e tattiche di social listening per monitorare le conversazioni online relative al brand, ai prodotti

e al settore, ottenendo una visione più chiara delle percezioni e dei temi emergenti.

## Inclusività e Accessibilità

- **Pratiche Inclusive:** Assicurarsi che le strategie di targeting e i contenuti siano inclusivi e rappresentativi della diversità dell'audience.
- **Accessibilità dei Contenuti:** Verificare che tutti i contenuti siano accessibili a persone con varie abilità e disabilità, utilizzando testo alternativo, sottotitoli e linguaggio semplice e comprensibile.

## Adaptabilità Culturale e Geografica

- **Cultura e Localizzazione:** Considerare le differenze culturali e geografiche nell'adattare i messaggi e le campagne per diverse segmentazioni di pubblico.
- **Multilingua e Traduzioni:** Fornire contenuti in diverse lingue e adattare le comunicazioni a vari contesti linguistici e culturali.

## Crisi e Gestione della Reputazione

- **Pianificazione delle Crisi:** Sviluppare e mantenere un piano di gestione delle crisi che tenga conto delle varie sfaccettature della comunicazione sui social media durante i momenti critici.
- **Monitoraggio della Reputazione:** Implementare strategie proattive e reattive per il monitoraggio e la gestione della reputazione

online, intervenendo tempestivamente in caso di negatività o crisi.

**Etica e Trasparenza**

- **Comunicazione Etica:** Mantenere un alto standard di etica e trasparenza nelle comunicazioni, garantendo che le interazioni e i messaggi siano autentici e onesti.
- **Privacy e Sicurezza:** Rispettare e comunicare chiaramente le prassi relative alla privacy e alla sicurezza dei dati dell'utente, costruendo così fiducia e affidabilità.

**Collaborazioni e Influencer Marketing**

- **Selezione dell'Influencer:** Identificare influencer e creatori di contenuti che risuonano con l'audience target e che siano allineati con i valori del brand.
- **Campagne Collaborative:** Sviluppare campagne congiunte e collaborazioni che estendano la portata del brand e arricchiscano l'esperienza dell'audience.

La profondità e la complessità della targettizzazione del pubblico nei social media vanno ben oltre l'identificazione superficiale di chi potrebbe essere interessato ai prodotti o servizi. Ogni stratagemma, ogni strumento e ogni tattica devono essere intrecciati in un'abile coreografia che non solo catturi l'attenzione dell'audience ma anche nutra un rapporto continuo con essa. La creazione di un legame autentico e reciprocamente vantaggioso con l'audience attraverso i canali social non è un'attività univoca, ma un dialogo costante, un dare e ricevere che evolve insieme al panorama digitale e alle mutevoli esigenze e aspettative del pubblico.

### Campagne e Strategie Publicitarie

- **Strategie Multicanale:** Considerare l'implementazione di campagne multicanale che possano massimizzare la visibilità e l'engagement attraverso diverse piattaforme social.
- **Budget e ROI:** Stabilire un budget adeguato per le campagne pubblicitarie e analizzare il Ritorno sull'Investimento attraverso metriche e KPI specifici, assicurando un uso efficace delle risorse finanziarie.

### Creatività e Innovazione nei Contenuti

- **Sperimentazione di Formati:** Esplorare e sperimentare diversi formati di contenuti, come video live, storie, post interattivi, e altri, per mantenere l'engagement dell'audience e offrire esperienze variegate.
- **Uso di Tecnologie Emergenti:** Integrazione di tecnologie emergenti, come la realtà aumentata, i chatbot, o l'intelligenza artificiale, per creare esperienze uniche e personalizzate per l'audience.

**Evento e Launch Strategie**

- **Pianificazione di Eventi Virtuali:** Progettare e realizzare eventi virtuali, webinar, o dirette live che possano coinvolgere l'audience e offrire valore aggiunto.

- **Strategie di Lancio:** Creare e implementare strategie per il lancio di nuovi prodotti o servizi, sfruttando le piattaforme social per generare hype e anticipazione.

**Uso dei Dati e Analisi Predictive**

- **Data-Driven Decision Making:** Implementare un approccio basato sui dati per il processo decisionale, assicurando che ogni strategia sia informata e supportata da dati concreti e analisi.

- **Analisi Predictive:** Utilizzo di modelli analitici predictivi per anticipare tendenze future, comportamenti dell'utente, e potenziali aree di crescita o sfida.

**Sostenibilità e Responsabilità Sociale**

- **Strategie Eco-Conscie:** Presentare e comunicare iniziative legate alla sostenibilità e al rispetto dell'ambiente, dimostrando un impegno verso la responsabilità ecologica.

- **CSR e Iniziative Sociali:** Creare e promuovere campagne che evidenzino l'impegno del brand in iniziative di Responsabilità Sociale d'Impresa.

### Normative e Conformità

- **Adesione alle Normative:** Assicurarsi che tutte le comunicazioni e le campagne siano in conformità con le normative locali e internazionali relative al marketing e alla pubblicità digitale.
- **Gestione del Rischio Legale:** Sviluppare procedure e protocolli per minimizzare e gestire i rischi legali associati alla presenza e alle attività sui social media.

### Internazionalizzazione e Mercati Globali

- **Strategie di Mercato Globale:** Sviluppare tattiche specifiche per navigare e penetrare nei mercati internazionali, considerando le sfide e le opportunità uniche di ogni regione.
- **Cultura e Sensibilità Globale:** Assicurare che i contenuti e le campagne siano culturalmente sensibili e appropriati per diverse audience globali.

L'approccio al targeting del pubblico e la gestione di una presenza sui social media devono essere fluidi, adattabili e costantemente raffinati. Gli utenti dei social media e le piattaforme stesse evolvono e cambiano rapidamente, richiedendo una continua recalibrazione delle strategie e delle tattiche. La costruzione di un brand forte e di relazioni significative con l'audience attraverso i social media non è una meta ma un viaggio continuo, permeato da analisi, apprendimento, innovazione e, soprattutto, autenticità nel dialogo costante con il pubblico. La gestione efficace dei social media e il targeting del pubblico non solo elevano la visibilità del brand ma possono trasformarsi in potenti levi per la creazione di una comunità affiatata e il conseguimento di obiettivi aziendali tangibili.

L'arte del targeting del pubblico nelle strategie dei social media porta con sé una multiforme serie di tattiche e strategie, tutte unite dalla necessità di comprendere profondamente e coinvolgere efficacemente l'audience desiderata. Non solo si tratta di individuare chi sono i potenziali clienti o follower, ma anche di capire le loro esigenze, desideri, comportamenti e preferenze a un livello granulare, assicurando che ogni messaggio, campagna o contenuto sia attentamente calibrato per risuonare con loro. La precisione nel targeting del pubblico si intreccia con la capacità di creare contenuti e messaggi che siano non solo pertinenti e coinvolgenti ma anche autentici e onesti. L'audience, oggi più che mai, brama autenticità e trasparenza dai brand, e pertanto, ogni strategia di targeting dovrebbe rispecchiare un compromesso sincero tra i messaggi del brand e le aspettative dell'audience. Inoltre, con il dinamismo delle piattaforme social e l'evoluzione delle preferenze degli utenti, il targeting del pubblico deve essere flessibile e adattabile, capace di navigare attraverso i cambiamenti con agilità e preveggenza.

Inoltre, l'abilità nel bilanciare tra l'ottimizzazione delle attuali strategie e l'esplorazione di nuove tattiche e piattaforme è fondamentale. Ciò implica non solo mantenere un occhio vigile sulle attuali metriche e KPI ma anche esplorare proattivamente nuove opportunità e spazi nel panorama digitale, rimanendo sempre un passo avanti nella curva dell'innovazione.

La strategia di targeting del pubblico dovrebbe anche essere inclusiva e accessibile, garantendo che i contenuti siano fruibili e risonanti con un'ampia varietà di individui attraverso diversi contesti culturali, geografici e demografici. Ciò non solo amplifica la risonanza del brand in diversi mercati ma anche rafforza la percezione del brand come entità inclusiva e consapevole.

La collaborazione tra diversi settori, come marketing, vendite, servizio clienti e IT, è anche un componente cruciale per garantire che le strategie di targeting siano allineate con gli obiettivi aziendali più ampi e siano sostenute da strumenti e tecnologie adeguati. Integrare dati e insight da questi diversi settori può ulteriormente affinare le strategie di targeting, garantendo che siano tanto precise quanto efficaci.

In sintesi, il targeting del pubblico nei social media è un compito complesso ma fondamentale, che fonde insieme analisi dati, creatività, tecnologia, e psicologia del consumatore. Ogni componente, dalla definizione dell'audience, alla creazione del contenuto, all'analisi delle metriche, gioca un ruolo vitale nel tessere una narrativa coesa e coinvolgente che non solo attira ma anche mantiene l'attenzione e la fedeltà dell'audience nel tempo. E nel vasto e sempre mutevole mondo dei social media, costruire e nutrire questa connessione con l'audience diventa il faro che guida verso una presenza online robusta e di successo.

5. Creazione di Contenuti • Ideazione e produzione di contenuti originali e coinvolgenti.

## Creazione di Contenuti: Ideazione e Produzione di Contenuti Originali e Coinvolgenti

Il processo di creazione di contenuti per i social media è un'arte e una scienza che fonde creatività, strategia, e un'acuta comprensione dell'audience target. Essa abbraccia una varietà di formati, toni, e stili, e riguarda il modo in cui un brand comunica la sua voce, i suoi valori, e le sue offerte in modi unici e memorabili.

### Ideazione di Contenuti

- **Ricerca e Insight:** La fase di ideazione inizia con una solida ricerca. Capire chi è la tua audience, quali sono i suoi interessi, problemi, e desideri, è fondamentale. Utilizzare sondaggi, analisi dei dati, e strumenti di ascolto dei social media può offrire intuizioni preziose per sviluppare idee di contenuto che risuonino.
- **Brainstorming Creativo:** Convenire sessioni di brainstorming che incoraggino il team a esplorare idee fuori dagli schemi, collegando insight dell'audience a concetti creativi.
- **Storytelling:** Costruire narrazioni che parlano non solo dei prodotti o servizi ma anche dei valori del brand, dei successi dei clienti, e di storie umane coinvolgenti.

## Produzione di Contenuti

- **Formati Diversificati:** I contenuti possono assumere molteplici forme – video, immagini, testo, podcast, e altro ancora. Esplorare diversi formati per vedere cosa risuona di più con l'audience.
- **Qualità e Coerenza:** Mantenere una qualità costante sia in termini di estetica che di messaggio. La coerenza in termini di qualità visiva, tono della voce, e stile è cruciale per costruire riconoscibilità e affidabilità del brand.
- **Autenticità:** Essere veri, umani, e autentici nelle comunicazioni. L'autenticità costruisce fiducia e crea una connessione più profonda con l'audience.

## Calendario Editoriale

- **Pianificazione:** Creare un calendario editoriale che mappa il contenuto programmato su varie piattaforme, considerando la stagionalità, gli eventi del settore, e le giornate mondiali pertinenti.
- **Agilità:** Mentre la pianificazione è vitale, è altrettanto essenziale mantenere una certa flessibilità nel calendario per sfruttare gli argomenti di tendenza e gli eventi attuali.

## Ottimizzazione e Adattamento

- **Test A/B e Analisi:** Implementare test A/B su vari elementi dei contenuti e analizzare le performance per comprendere cosa funziona meglio e perché.

- **Adattamento Cross-Piattaforma:** Adattare i contenuti in modo che siano ottimizzati per ogni piattaforma social, tenendo conto delle specifiche tecniche e delle preferenze dell'audience.

**Engagement e Interazione**

- **Dialogo Bidirezionale:** I contenuti devono incentivare la conversazione e l'interazione. Rispondere ai commenti, domande, e feedback costruisce una comunità e mostra che il brand ascolta.

- **User Generated Content:** Encouraging e showcasing contenuti generati dagli utenti può amplificare il senso di appartenenza della comunità e creare contenuti autentici e relazionali.

**Analisi e Miglioramento Continuo**

- **Monitoraggio delle Performance:** Utilizzare analytics per monitorare le performance dei contenuti, identificare cosa funziona e dove c'è spazio per migliorare.

- **Iterazione:** Utilizzare i dati e i feedback per iterare, migliorare, e affinare la strategia di contenuto continuamente.

Creare contenuti originali e coinvolgenti non è solo questione di estetica o creatività, ma è profondamente intrecciato con la capacità di comprendere, empatizzare, e connettersi con l'audience in modi significativi e memorabili. È un processo ciclico e iterativo che richiede un impegno costante verso l'apprendimento, l'adattamento, e l'innovazione. L'essenza della creazione di contenuti risiede nell'abilità di tessere insieme narrativa, dati, e estetica in un tapestry che parla non solo alla mente dell'audience, ma anche al suo cuore.

Proseguendo con la riflessione sulla creazione di contenuti, diventa imperativo esplorare ulteriormente il nesso tra contenuto e cultura del brand, poiché le narrative che un'organizzazione sceglie di esprimere nei social media sono intrinsecamente intrecciate con la percezione del pubblico riguardo al brand stesso.
Contenuti e Cultura del Brand
Un'attenta strategia di contenuto presta attenzione alla cultura del brand, garantendo che ogni pezzo di contenuto veicolato sia una rappresentazione fedele dei valori, della missione e della visione dell'organizzazione. La coerenza tra ciò che un brand afferma di essere e ciò che comunica attraverso i suoi contenuti diventa fondamentale per costruire e mantenere la fiducia dell'audience.

## Visione a Lungo Termine

Un focus sul lungo termine è altrettanto cruciale. Il marketing dei contenuti non è solo una questione di creare "viralità" o di sfruttare le tendenze, ma piuttosto di costruire un solido percorso di narrativa che possa sostenere e riflettere la crescita e l'evoluzione del brand nel tempo. Questo significa sviluppare contenuti che non solo risuonino nel presente, ma che siano anche resilienti e rilevanti nel futuro, considerando come potrebbero adattarsi o essere rivisitati man mano che il marchio e il mercato evolvono.

## Inclusività e Diversità nei Contenuti

La creazione di contenuti deve anche tenere conto di un'ampia gamma di prospettive e voci. Un brand che si impegna attivamente con principi di inclusività e diversità dimostra non solo una consapevolezza sociale, ma anche una capacità di connettersi con un'audience variegata su un piano più profondo e umano. Ciò richiede una creazione di contenuti che esplori e rappresenti diverse esperienze, storie e identità, fornendo una piattaforma attraverso cui voci altrimenti marginalizzate possano essere ascoltate e celebrate.

### Etica della Creazione di Contenuti

L'etica nella creazione di contenuti è un altro aspetto imperativo. Il brand deve considerare come i contenuti possano impattare l'audience e la società in generale, assicurandosi che le informazioni siano accurate, che le immagini e le narrative non siano offensive o alienanti e che i messaggi veicolati sostengano un ambiente online positivo e sicuro.

Innovazione nei Formati e nell'Espressione L'innovazione nella creazione di contenuti non riguarda solo cosa si dice, ma anche come si dice. Esplorare formati emergenti, come realtà aumentata (AR), realtà virtuale (VR), e contenuti interattivi, può offrire nuove modalità attraverso cui il brand può connettersi e coinvolgere l'audience.

### Sperimentazione e Rischi Calcolati

Sperimentare con nuovi tipi di contenuti, toni o formati può anche offrire occasioni inaspettate per il coinvolgimento del pubblico e la scoperta di nuove narrative di brand. Ciò potrebbe implicare la presa di rischi calcolati, ma con adeguati meccanismi di feedback e analisi, questi esperimenti possono diventare opportunità di apprendimento e innovazione.

## Tecnologia e Strumenti di Creazione di Contenuti

L'utilizzo di tecnologie e strumenti avanzati per la creazione di contenuti può anche amplificare la capacità del brand di produrre contenuti visivamente accattivanti e interattivi. L'intelligenza artificiale (IA), ad esempio, può essere utilizzata per analizzare i dati dei social media e prevedere i tipi di contenuti che potrebbero risuonare maggiormente con l'audience, mentre gli strumenti di grafica avanzata e animazione possono arricchire la qualità visiva dei contenuti prodotti. Continuare a esplorare la vastità del mondo dei contenuti nei social media significa immergersi in un oceano di possibilità, tendenze, sfide e scoperte, dove la narrativa del brand diventa tanto un viaggio quanto una destinazione, e ogni contenuto condiviso è un passo verso la costruzione di una connessione più profonda e significativa con l'audience che si naviga attraverso la vastità del digitale.

Procediamo ad analizzare ulteriori sfumature della creazione di contenuti, ponendo l'accento sull'importanza di integrare emozioni e storytelling autentico nelle strategie di contenuto dei social media. L'espressione di una marca attraverso i suoi contenuti non dovrebbe essere solo un veicolo per trasmettere messaggi, ma dovrebbe anche servire come mezzo per esprimere emozioni e condividere storie che risonano con il pubblico a un livello più profondo.

## Emozioni e Connessione Umana

Quando parliamo di contenuti, ci riferiamo spesso a qualcosa che va oltre la semplice informazione; ci riferiamo a messaggi che sono in grado di suscitare emozioni e creare una connessione umana. Le emozioni svolgono un ruolo centrale nel determinare come l'audience percepisce e interagisce con un brand, e un contenuto che suscita emozioni positive o che commuove può notevolmente migliorare la memorabilità e l'efficacia dei messaggi del brand. Lavorare con elementi quali l'umorismo, la sorpresa, la gioia, o anche toccare corde emotive come la nostalgia o l'empatia, può consentire ai contenuti di stabilire una connessione emotiva con il pubblico, rendendo il brand più umano e relatabile.

## Storytelling e Narrativa

Parallelamente, l'arte dello storytelling assume un ruolo cruciale nella creazione di contenuti. La capacità di tessere una storia convincente attorno al brand, ai suoi prodotti e ai suoi valori non solo migliora la coerenza e la coesione dei contenuti attraverso diverse piattaforme e formati, ma fornisce anche al pubblico un contesto e una narrativa a cui collegare la loro interazione e esperienza con il brand.

Una narrazione efficace nei contenuti dei social media può assumere molte forme e applicarsi a vari formati, inclusi video, immagini, testi, podcast e più ancora. Le storie possono essere raccontate attraverso case study, testimonianze clienti, storie di successo dei dipendenti, o anche attraverso la condivisione del percorso e della crescita del brand nel tempo.

Autenticità e Trasparenza

L'autenticità nel contenuto è imperativa per costruire e mantenere la fiducia del pubblico. Un brand che condivide non solo i propri successi ma anche le sfide, che mostra gli sforzi dietro le quinte e che coinvolge l'audience nel suo percorso, dimostra un livello di trasparenza che può significativamente migliorare la percezione del pubblico.

Condividere contenuti che riflettono la realtà del brand, che mostrano l'umanità dietro l'entità aziendale e che coinvolgono il pubblico in conversazioni oneste e aperte può aiutare a costruire una relazione più autentica e sostenibile con l'audience.

Responsabilità Sociale e Impatto

Inoltre, i brand oggi sono sempre più spinti a prendere posizione su questioni sociali e ambientali, e i contenuti dei social media offrono una piattaforma per esprimere e mostrare impegno verso la responsabilità sociale. Ciò significa creare contenuti che evidenziano gli sforzi del brand verso la sostenibilità, l'inclusività e l'impegno sociale, e che dimostrino un impegno genuino verso il fare la differenza.

Ciò può includere l'illuminazione delle partnership con organizzazioni no-profit, la condivisione di aggiornamenti su iniziative di sostenibilità, o anche l'apertura di dialoghi con il pubblico su questioni che sono importanti per il brand e per la comunità più ampia.

Contenuti Generati dagli Utenti (UGC)

Anche l'incentivazione e l'incorporamento di contenuti generati dagli utenti (UGC) in una strategia di contenuto può arricchire significativamente la narrativa del brand. Invitare il pubblico a condividere le proprie storie, esperienze e momenti in relazione al brand non solo fornisce contenuto autentico e variegato, ma valorizza anche la comunità, facendo sentire i clienti visti, ascoltati e apprezzati.

Attraverso una esplorazione consapevole ed etica della creazione di contenuti, un brand può navigare attraverso le complessità del paesaggio dei social media, connettendosi con il pubblico in modo significativo e costruendo una presenza digitale che sia sia resiliente che risuonante.

## Conclusione del Punto sulla Creazione di Contenuti

La creazione di contenuti non è un'arte astratta, ma piuttosto una fusione metodica e strategica di arte e scienza, intricatamente legata all'autenticità, alla connettività umana e alla risonanza emotiva. Quando approfondiamo il concetto di produzione di contenuti nei social media, emerge chiaramente che il contenuto va ben oltre la mera visualizzazione grafica o la presentazione testuale di un messaggio. È un mezzo attraverso il quale un brand conversa, interagisce e si collega con il suo pubblico, aprendo canali per dialoghi bilaterali, feedback e co-creazione.

Risonanza e Reputazione

La risonanza dei contenuti creati può fortemente impattare la reputazione del brand, influenzando non solo come viene percepito nel momento presente, ma anche plasmando la sua immagine futura. Contenuti pertinenti, tempestivi e risuonanti possono elevarsi attraverso il rumore digitale, ancorando il brand nelle menti dei consumatori e fornendo un terreno fertile per la crescita della lealtà del cliente e la costruzione della reputazione.

Innovazione e Adattabilità

L'innovazione costante e l'adattabilità sono essenziali nella creazione di contenuti, soprattutto in un'era digitalizzata e in rapida evoluzione. Le piattaforme, le tendenze e gli interessi del pubblico sono in uno stato perpetuo di flusso, e quindi il contenuto deve essere dinamico, in grado di evolvere e di sintonizzarsi con i cambiamenti emergenti.

Integrazione Tecnologica e Analisi Dati

L'integrazione della tecnologia e l'utilizzo efficace dell'analisi dei dati sono componenti fondamentali del processo di creazione dei contenuti. Tracciare e interpretare accuratamente i dati relativi al comportamento degli utenti, alle interazioni e alle preferenze può illuminare il cammino verso contenuti più mirati e risonanti, assicurando che ogni pezzo prodotto non solo raggiunga, ma anche risuoni, con il suo pubblico intenzionale.

## Sostenibilità del Contenuto

Inoltre, la sostenibilità del contenuto è cruciale. La creazione di contenuti deve essere gestita in modo tale da essere coerente, di qualità e al passo con i tempi, senza però esaurire le risorse o la creatività del team. Ciò implica la necessità di una pianificazione attenta, di una gestione strategica delle risorse e di un ambiente di lavoro che nutra la creatività e l'innovazione.

Etica e Responsabilità

In un'era in cui l'etica del brand è sotto la lente d'ingrandimento, la creazione di contenuti deve anche essere intrinsecamente legata alla responsabilità sociale e morale. Il modo in cui un brand sceglie di presentarsi, delle storie che decide di raccontare e delle voci che decide di amplificare o silenziare, parlano volumi della sua etica e dei suoi valori fondamentali.

Conclusione Globale

In ultima analisi, la creazione di contenuti non è una via di senso unico. Si tratta di un'autostrada multicanale di interazioni, impressioni e scambi, in cui il brand e il pubblico coesistono e co-creano esperienze, storie e percorsi. Il brand che riesce a navigare con saggezza in questo spazio, onorando l'autenticità, l'integrità e la connettività umana, sarà in grado di creare contenuti che non sono solo visti o sentiti, ma veramente esperiti e ricordati dal suo pubblico.

Così, mentre la produzione di contenuti originali e coinvolgenti continua ad essere un pilastro centrale nel paesaggio del marketing digitale, la sua vera essenza e impatto vanno oltre la mera creazione e condivisione, sprofondando nelle profondità delle interazioni umane, dell'etica del brand e dell'arte del racconto autentico e significativo.

6. Calendario Editoriale • Pianificazione e organizzazione dei post.

## Informazioni Riguardo la Creazione di un Calendario Editoriale

Concetto Fondamentale di Calendario Editoriale
Il calendario editoriale rappresenta uno strumento cruciale nella gestione strategica del content marketing, particolarmente nel contesto dei social media. Essenzialmente, è una roadmap che guida la pubblicazione dei contenuti attraverso diversi canali media, assicurando coerenza, qualità e un flusso costante di comunicazione tra il brand e il suo pubblico.
Significato e Finalità
Un calendario editoriale ben progettato non solo fornisce un quadro temporale per i post, ma anche facilita una visione d'insieme delle

tematiche trattate, degli obiettivi perseguibili e delle risorse necessarie. Esso consente di assicurare che i contenuti siano variati, rilevanti e interessanti, permettendo di pianificare in anticipo e evitare la ripetitività o, al contrario, la negligenza di argomenti importanti.

Componenti di un Calendario Editoriale

1. **Pianificazione Temporale**: Determinare la frequenza dei post su ogni piattaforma social e stabilire giorni e orari ottimali in base all'engagement del pubblico.

2. **Tematiche dei Contenuti**: Definire le varie tematiche che saranno trattate nei post, assicurandosi che siano allineate con gli interessi dell'audience e gli obiettivi del brand.

3. **Tipi di Contenuti**: Identificare diversi formati di contenuto (immagini, video, articoli, etc.) e assicurarsi che ci sia una varietà equilibrata tra di essi.

4. **Targeting**: Allineare ogni contenuto con segmenti specifici dell'audience, assicurando che i messaggi siano pertinenti e risonanti per il pubblico desiderato.

5. **Eventi e Giornate Speciali**: Includere festività, eventi di settore, giornate mondiali e altri appuntamenti rilevanti che possano fornire opportunità per contenuti tematici e coinvolgenti.

6. **Contenuto Evergreen e Sazionale**:
   Bilanciare contenuti evergreen, che mantengono
   la loro rilevanza nel tempo, con contenuti
   sazionali che sfruttano temi attuali e tendenze.
7. **Sperimentazione e Innovazione**: Lasciare
   spazio per testare nuovi formati o temi e per
   capitalizzare su trend emergenti e opportunità
   inaspettate.
8. **Analisi e Ottimizzazione**: Pianificare
   momenti per analizzare i dati delle performance
   dei contenuti e per apportare modifiche
   strategiche al calendario.
9. **Backup e Piani B**: Avere un piano di riserva
   per i contenuti, nel caso in cui emergano
   problemi o si presentino nuove opportunità.
10. **Interazione e Comunità**: Prevedere
    momenti e modi in cui il brand può interagire
    con il suo pubblico, come Q&A, sondaggi, o
    contenuti generati dagli utenti.
    Strumenti e Risorse
    Utilizzare strumenti di gestione dei contenuti e
    delle attività, come Trello, Asana o Google
    Calendar, può semplificare notevolmente la
    creazione e il mantenimento del calendario
    editoriale. Questi tool facilitano la collaborazione
    tra i membri del team e assicurano che tutti siano
    allineati sugli obiettivi, le scadenze e le
    responsabilità.

Pianificazione in Anticipo e Agilità Operativa
È fondamentale pianificare con un certo anticipo, ma è altrettanto cruciale mantenere un certo grado di flessibilità. Il mondo dei social media è dinamico e in continua evoluzione, pertanto è essenziale essere pronti ad adattarsi a nuove tendenze, feedback dell'audience e eventi mondiali.

Conclusioni Parziali
In ultima analisi, un calendario editoriale efficace non è solo un programma di pubblicazione: è una strategia globale che, quando eseguita correttamente, può elevare la comunicazione del brand, rafforzare le relazioni con il pubblico e ottimizzare l'efficacia del marketing sui social media, garantendo allo stesso tempo l'allineamento con gli obiettivi a lungo termine dell'organizzazione.

## Ampliando la Visione del Calendario Editoriale nel Social Media Management

Dall'Analisi dei Dati alla Riqualificazione dei Contenuti
Mentre il calendario editoriale si preoccupa essenzialmente della pianificazione, è vitale considerare il ciclo di vita completo di un contenuto, che va ben oltre il momento della pubblicazione. I dati analitici dei social media, come l'engagement, la portata e le conversioni,

dovrebbero essere esaminati regolarmente per comprendere quale contenuto risuona maggiormente con l'audience e perché. Questa analisi retrospettiva può portare ad aggiustamenti strategici nel calendario stesso, modificando frequenza, tematiche e formati per massimizzare l'efficacia.

Sincronizzazione Multicanale

Con la presenza dei brand su più piattaforme social, ogni calendario editoriale dovrebbe considerare l'interplay tra i vari canali. Un contenuto che viene condiviso su Instagram potrebbe avere un formato differente se condiviso su LinkedIn o Twitter, adattandosi alle specifiche norme e aspettative delle diverse piattaforme e del pubblico su di esse. Allo stesso tempo, è importante mantenere una coerenza di brand e messaggio attraverso tutti i canali per fortificare l'identità del brand.

Creazione di Storytelling Integrato

Il storytelling integrato è fondamentale per la costruzione di campagne coinvolgenti e memorabili. Quindi, il calendario editoriale dovrebbe riflettere non solo post singoli ma anche archi narrativi che si sviluppano su più post e/o piattaforme, creando una storia coerente e avvincente che incoraggia il pubblico a seguire e interagire con il brand nel tempo.

## Considerazione delle Risorse e del Carico di Lavoro

La creazione di contenuti può essere risorsa-intensiva, coinvolgendo copywriter, designer, videomaker e altri specialisti. Il calendario editoriale deve, pertanto, essere allineato con la capacità operativa del team, assicurando che ci sia tempo e risorse a sufficienza per produrre contenuti di alta qualità senza sovraccaricare il team.

## Gestione delle Crisi e Comunicazione Sensibile

Il calendario deve anche essere gestito con un occhio attento al contesto esterno e globale. Pianificare post durante eventi mondiali sensibili o crisi può essere visto come insensibile o fuori luogo. È vitale avere un processo per rivedere, e se necessario, adattare o ritirare i contenuti pianificati in risposta agli eventi correnti.

## Coinvolgimento Attivo e Gestione della Community

Oltre a pianificare i contenuti, il calendario dovrebbe prevedere momenti specifici per l'engagement attivo con l'audience, come rispondere ai commenti, messaggi diretti o partecipare a discussioni. L'interazione diretta e genuina con il pubblico può amplificare l'efficacia del contenuto pubblicato e costruire una community fedele attorno al brand.

Gestione della Repertorio Contenuti

Tenere traccia dei contenuti passati e della loro performance non solo aiuta a evitare la ripetizione, ma offre anche opportunità per il riutilizzo o la riqualificazione di contenuti che sono stati particolarmente efficaci o che potrebbero avere una nuova rilevanza in un contesto diverso o su una piattaforma diversa.

Adattabilità e Apprendimento Continuo

Infine, il mondo dei social media è in un costante stato di evoluzione, con nuove piattaforme, formati e tendenze che emergono regolarmente. Un approccio adattabile e un impegno verso l'apprendimento continuo sono essenziali per mantenere il calendario editoriale, e più ampiamente la strategia dei social media, fresca, rilevante e efficace.

Così, mentre il calendario editoriale rimane un fulcro centrale della strategia di content marketing, esso deve essere continuamente rifinito e reimmaginato alla luce delle analisi, delle esperienze e delle evoluzioni del panorama digitale, fornendo un fondamento solido ma flessibile per la comunicazione del brand nel vibrante e variegato mondo dei social media.

Nell'era digitale in cui la saturazione dei contenuti diventa sempre più densa, la costruzione e la gestione ponderata di un calendario editoriale nel mondo del Social Media Management non sono solo una necessità, ma un imperativo strategico. Il calendario editoriale non è meramente uno strumento di organizzazione, ma piuttosto un congegno sofisticato che, se usato correttamente, può orchestrare una sinfonia di contenuti che costruiscono e mantengono una presenza digitale forte e coerente.

È evidente che ogni contenuto pianificato e postato tramite il calendario editoriale agisce come un punto di contatto con l'audience, un'opportunità per condividere, connettersi e comunicare il valore del brand. Ciascun contenuto deve essere visivamente accattivante, editorialmente incisivo e strategicamente posizionato per garantire non solo visibilità, ma anche un'engagement qualitativo. Ciò implica un'intima conoscenza delle varie piattaforme sociali, delle loro peculiarità e delle aspettative del loro pubblico.

Il calendario editoriale si eleva dunque da semplice griglia di pubblicazione a catalizzatore di dialoghi e relazioni. Questo significa che non può essere rigido o isolato dalle dinamiche sociali, culturali e di mercato. Deve essere attento al contesto, prevedendo spazi di manovra che permettano la riqualificazione dei contenuti in tempo reale, la pausa in situazioni di crisi o l'accelerazione in momenti di opportunità. Inoltre, il calendario editoriale deve essere progettato con un occhio di riguardo verso l'equilibrio tra contenuti evergreen e contenuti di tendenza, tra comunicazioni di marca e contenuti user-generated, tra narrativa del brand e storytelling che risuonino autenticamente con il pubblico. Ogni post, storia o tweet non è un'entità singola, ma un frammento di un discorso più ampio, un mattoncino nel costruire e consolidare la percezione del brand.

In un contesto così complesso e sfaccettato, il social media manager, attraverso il calendario editoriale, deve saper danzare armoniosamente tra pianificazione e improvvisazione, tra coerenza del brand e innovazione, mantenendo una sintesi strategica che guardi sempre al futuro, anticipando trend e modifiche algoritmiche, e rimanendo fedele a un'identità e a valori ben radicati.

In ultima analisi, la vera essenza del calendario editoriale nel Social Media Management non risiede nell'atto di pianificare e postare, ma nell'intrecciare una narrazione che si snodi attraverso i giorni, le settimane e i mesi, tessendo una trama che lega insieme brand e audience in un dialogo continuo e costruttivo. Uno strumento che, attraverso l'analisi e l'adattabilità, permette di navigare con perizia attraverso le acque, a volte tranquille e a volte tempestose, del digitale, sempre con uno sguardo fisso verso l'orizzonte delle opportunità future.

7. Uso delle Immagini e dei Video • Creazione e ottimizzazione di contenuti visivi.

## Nell'Universo dei Contenuti Visivi: Immagini e Video nel Social Media Management
Potenza del Visivo nel Marketing dei Social Media
In un'era digitale in cui le persone vengono inondate da una vastità di informazioni, le immagini e i video sorgono come i veri eroi del coinvolgimento e dell'engagement nei social media. La potenza di contenuti visivi altamente coinvolgenti e relazionabili giace nel loro innato potere di catturare l'attenzione, trasmettere messaggi complessi in modo semplificato e creare connessioni emotive con l'audience.
L'Importanza delle Immagini
Le immagini sono fondamentali in quanto creano il primo, e spesso duraturo, impatto sui visitatori. La chiave risiede nella capacità di selezionare o

creare immagini che non solo siano esteticamente gradevoli, ma che riflettano anche l'essenza del brand e siano in grado di comunicare un messaggio in modo efficace e diretto. L'ottimizzazione delle immagini per ogni piattaforma social - tenendo conto delle diverse dimensioni e specifiche tecniche - è fondamentale per assicurare una visualizzazione ottimale e una coerente esperienza utente.

Il Peso dei Video

Il video, da parte sua, è un veicolo potente per la narrazione del brand, essendo in grado di amalgamare visivo, audio e narrazione in un'unica esperienza coinvolgente. Creare video che siano visivamente attraenti, con contenuti che siano sia informativi che emotivamente risonanti, è cruciale. L'ottimizzazione dei video per il mobile, garantendo che siano efficaci anche senza audio (mediante l'uso di sottotitoli, ad esempio), e l'adattamento delle durate in base alle norme delle piattaforme, sono passi fondamentali per garantire la loro efficacia.

Coerenza Visiva e Branding

Mantenere una coerenza nell'aspetto visivo attraverso tutte le piattaforme social assicura riconoscibilità e aiuta a costruire e consolidare l'identità del brand. Questo si estende a tutti gli aspetti visivi, come il colore, lo stile delle immagini, il font e i temi dei video. La guida dello stile del brand deve essere fermamente ancorata in ogni pezzo di contenuto visivo che viene creato e condiviso.

Contenuti Visivi e SEO

L'ottimizzazione dei contenuti visivi per la ricerca (SEO) è altrettanto vitale per garantire che le immagini e i video siano facilmente rintracciabili sia nelle ricerche interne alle piattaforme social che nei motori di ricerca esterni. Ciò include l'uso efficace di parole chiave nei titoli, nelle descrizioni e nei tag, e l'uso di alternative testuali e descrizioni delle immagini per migliorare l'accessibilità e la scopribilità.

Interazione e Partecipazione attraverso il Visivo

L'utilizzo di contenuti visivi come veicolo per l'interazione e la partecipazione è un altro aspetto chiave. Ciò può includere l'uso di sondaggi visivi, quiz, challenge video e altri formati interattivi che incoraggiano il pubblico a impegnarsi attivamente con il brand e a partecipare alla co-creazione di contenuti.

Misurazione e Analisi delle Prestazioni

Infine, è fondamentale istituire meccanismi per misurare e analizzare le prestazioni dei contenuti visivi, sfruttando le analitiche delle piattaforme social e gli strumenti di analisi dei dati per comprendere quali immagini e video risuonano maggiormente con l'audience e perché. Questi dati possono poi alimentare futuri sforzi di creazione di contenuti, garantendo che essi siano sempre più mirati e efficaci.

In conclusione, l'uso delle immagini e dei video nel social media management non è soltanto un "nice-to-have", ma un pilastro fondamentale della strategia di contenuto digitale. L'arte e la scienza della creazione, ottimizzazione e analisi dei contenuti visivi si intersecano per costruire un percorso solido e avvincente nel viaggio del cliente attraverso il paesaggio digitale, creando esperienze memorabili e costruendo relazioni durature tra il brand e il suo pubblico.

## Prospettive Ampliate nell'Uso di Immagini e Video nel Social Media Management

Psicologia della Visione e Storytelling Visivo Comprendere la psicologia dietro alla percezione visiva e alla costruzione delle storie è cruciale per creare contenuti che colpiscano e si attacchino nella memoria del pubblico. La narrazione visiva richiede una meticolosa pianificazione e concezione, dove ogni immagine o sequenza video si intreccia con la precedente e la successiva per creare una storia coesa e potente. Dallo sviluppo di personaggi visivi alla definizione di un ambiente visuale coerente, ogni elemento deve essere attentamente selezionato e armonizzato per esprimere il messaggio desiderato in modo efficace e memorabile.

Tattiche Visive e Scelte Strategiche

Il colore, la composizione, il ritmo e la sequenza sono aspetti vitali che necessitano di considerazione attenta. La scelta dei colori, ad esempio, non solo deve rispecchiare il branding dell'azienda, ma anche evocare le emozioni e le risposte desiderate dal pubblico. La composizione dell'immagine o del frame video, dall'altro lato, deve guidare l'occhio dell'osservatore attraverso l'immagine o il video, focalizzandosi sugli elementi chiave e sulle aree di interesse. La sequenza e il ritmo, soprattutto nei video, devono essere regolati per mantenere l'attenzione dell'utente e guidarlo attraverso la storia senza perdite di interesse o disconnessioni.

Tecnologia e Innovazione in Campo Visivo

Le innovazioni tecnologiche offrono nuove opportunità e sfide nel campo dei contenuti visivi. La realtà aumentata (AR) e la realtà virtuale (VR), ad esempio, aprono nuovi orizzonti nella creazione di esperienze immersive e interattive per gli utenti. Queste tecnologie possono essere utilizzate per arricchire l'esperienza dell'utente, offrendo modi innovativi per esplorare prodotti o immergersi in storie brandizzate.

Legalità e Etica delle Immagini e dei Video
Anche l'aspetto legale e etico delle immagini e dei video è fondamentale: ciò implica sia l'utilizzo corretto delle immagini di stock o l'assicurarsi di avere i diritti necessari per utilizzare immagini e video specifici, sia la sensibilità e l'adesione a linee guida etiche nella rappresentazione di persone, prodotti e situazioni. Rispettare le normative sulla privacy e sul diritto all'immagine è altrettanto vitale per evitare complicazioni legali e mantenere una reputazione aziendale positiva.

Personalizzazione e AI
La personalizzazione dei contenuti visivi, sostenuta dall'intelligenza artificiale e dall'analisi dei dati, può aumentare significativamente la rilevanza e l'impatto dei contenuti visuali. Utilizzando i dati degli utenti e l'IA per creare immagini e video che siano altamente risonanti e personalizzati per segmenti specifici dell'audience, i marchi possono creare esperienze utente profondamente personalizzate e accattivanti.

Globalizzazione e Localizzazione dei Contenuti
In un mercato globale, la creazione di contenuti visivi che siano culturalmente risonanti e appropriati per diverse audience è cruciale. Questo potrebbe significare l'adattamento delle immagini e dei video per rispecchiare le norme

culturali, i valori e le aspettative delle diverse popolazioni a cui ci si rivolge, assicurando che i contenuti siano sempre rilevanti e rispettosi del contesto culturale in cui vengono condivisi. Continuando a navigare tra questi vasti e complessi aspetti della creazione e gestione di immagini e video nei social media, emerge chiaramente che ciascuno di essi offre profonde immersioni in subset di strategie, tecniche e conoscenze. La profondità di ciascuno di questi elementi può essere ulteriormente esplorata e sviluppata, offrendo un ampio e fertile terreno su cui costruire e perfezionare la maestria nell'arte e nella scienza dei contenuti visivi nel social media management.

## Rilevanza e Evoluzione dei Contenuti Visivi in un Panorama Digitalizzato

Adaptation to Varied Formats and Platforms L'adozione di formati vari e innovativi può stimolare l'engagement del pubblico e aumentare la visibilità dei contenuti. Pensare a formati come IGTV, Storie su Instagram o video su TikTok richiede che i creatori si adattino e creino contenuti specifici che sfruttino al meglio ciascuno di questi canali. Ad esempio, i contenuti brevi e visivamente accattivanti su TikTok potrebbero richiedere un approccio completamente diverso rispetto a una strategia di contenuti video per LinkedIn.

User-Generated Content (UGC) and Community Building

Promuovere la creazione di contenuti generati dagli utenti può essere un potente strumento per costruire comunità e aumentare l'engagement. Invitare il pubblico a condividere le proprie immagini e video che riguardano il brand o i prodotti non solo fornisce contenuto gratuito e autentico, ma anche incrementa il coinvolgimento e la fedeltà dei clienti creando un senso di appartenenza e validazione quando i loro contenuti vengono condivisi o celebrati dalla marca.

Accessibility and Inclusivity in Visual Content

La creazione di contenuti visivi accessibili e inclusivi non è solo eticamente corretta ma anche strategica. Assicurarsi che immagini e video siano accessibili a un pubblico più ampio possibile, inclusi coloro che hanno disabilità visive o uditive, attraverso l'uso di sottotitoli, descrizioni testuali e considerazioni sui colori, non solo amplia il potenziale di pubblico, ma dimostra anche un impegno nei confronti dell'inclusività e della responsabilità sociale.

Aesthetic Consistency and Brand Recognition

Mantenere una coerenza estetica attraverso tutti i contenuti visivi è essenziale per costruire riconoscimento e affidabilità del brand. Ciò include la coerenza nel colore, stile, tipografia, e tono visivo in modo che, indipendentemente dalla piattaforma o dal formato, i contenuti siano immediatamente riconoscibili come appartenenti al tuo brand.

Virality, Trends, and Cultural Relevance
Comprendere e, quando appropriato, sfruttare le tendenze virali e culturali può aiutare a mantenere i contenuti visivi rilevanti e connessi con le conversazioni in corso nel panorama digitale più ampio. Tuttavia, è fondamentale farlo con autenticità e consapevolezza per evitare percettioni di sfruttamento o inautenticità.

Crisis Management and Image Rehabilitation
L'abilità di gestire immagine e contenuti durante e dopo una crisi è vitale. Quando un brand è sotto scrutinio o critica, le immagini e i video condivisi devono essere attentamente considerati per garantire che non esacerbino la situazione e, invece, lavorino attivamente per ristabilire la fiducia e rimediare dove possibile.

ROI, Analytics, and Continuous Improvement
Misurare l'efficacia dei contenuti visivi attraverso l'analisi dettagliata dei dati e assicurarsi che questi insights siano utilizzati per guidare l'evoluzione e il miglioramento continuo della strategia visiva è cruciale. Osservare meticulosamente le metriche, come

visualizzazioni, condivisioni, commenti e, ovviamente, conversioni, fornisce una mappa verso ciò che risuona con l'audience e cosa necessita di aggiustamenti.

Collaboration with Influencers and Creators

Collaborazioni con influencer e creatori di contenuti possono offrire nuove prospettive e ampliare la portata dei contenuti visivi del brand. Scegliere partner che siano allineati con i valori del brand e che possano apportare un valore autentico al pubblico può creare sinergie potenti e autentiche nel panorama dei social media.

In sintesi, l'utilizzo delle immagini e dei video nel social media management è un'arte in continua evoluzione, che richiede un'attenzione costante verso il pubblico, la tecnologia, le tendenze culturali e l'ecosistema dei media digitali. La profondità e l'ampiezza delle strategie e delle tattiche a disposizione sono immense, e attraverso un'explorazione attenta e riflessiva, i social media manager possono navigare con successo in questo panorama complesso e dinamico, costruendo brand forti e comunità fedeli.

## Iterazione, Feedback e Adattabilità dei Contenuti Visivi

Nel creare contenuti visivi per i social media, l'interazione diretta con il pubblico può offrire una quantità incredibile di feedback e dati che, se utilizzati correttamente, possono modellare e migliorare ulteriormente la strategia di contenuto del brand.

Analisi Profonda del Feedback dell'Utente

Esaminare attentamente i commenti, i mi piace e le condivisioni può fornire indicazioni su quali aspetti dei contenuti visivi stiano resonando con l'audience. Non solo in termini di cosa piace, ma anche, attraverso le discussioni e i commenti, che tipo di emozioni o reazioni i contenuti stanno suscitando. Questo permette di affinare la strategia di contenuto e creare messaggi visivi che siano ancora più in linea con le aspettative e i desideri del pubblico.

Cicli Iterativi di Creazione del Contenuto

La creazione di contenuti non dovrebbe essere un processo lineare. Implementare cicli iterativi, dove il feedback e i dati sono costantemente utilizzati per modificare e migliorare i contenuti, può assicurare che il brand rimanga rilevante e in sintonia con la sua audience. Questo approccio agile alla creazione dei contenuti visivi permette di rispondere prontamente alle nuove tendenze o cambiamenti nel comportamento degli utenti.

Diverse Forme di Contenuto Visivo

Esplorare diversi tipi di contenuto visivo, come infografiche, video dal vivo, animazioni e contenuti interattivi, offre l'opportunità di coinvolgere l'audience in modi sempre nuovi e interessanti. Ogni formato ha i propri punti di forza unici e può essere utilizzato per comunicare messaggi differenti, e sperimentare attraverso vari formati può esporre il brand a segmenti diversi dell'audience e rivelare nuove opportunità o ispirazioni.

Esplorazione di Nuove Piattaforme e Tecnologie

Mentre le piattaforme come Instagram, Facebook e TikTok potrebbero dominare il paesaggio attuale dei social media, emergono continuamente nuove piattaforme e tecnologie che offrono opportunità inesplorate. Ad esempio, l'uso di realtà aumentata (AR) nei contenuti visivi, o l'esplorazione di nuove piattaforme che potrebbero attrarre nicchie specifiche del pubblico, può aprire nuovi orizzonti per l'engagement del brand.

Coerenza Tra Diverse Piattaforme

Mentre esplorare diversi canali e formati è vitale, mantenere una certa coerenza nel messaggio e nell'estetica del brand attraverso diverse piattaforme assicura che l'identità del brand rimanga solida e riconoscibile. Adattare i contenuti alle peculiarità di ogni piattaforma, pur

mantenendo elementi chiave del brand
consistenti, offre una presenza online omogenea
e facilmente identificabile.

Storytelling Visivo e Narrativa di Marca

L'arte del storytelling visivo implica la creazione
di contenuti che non solo siano esteticamente
piacevoli ma che anche raccontino una storia
coerente e coinvolgente. Ogni immagine, video o
grafica deve in qualche modo contribuire alla
narrativa più ampia che il brand sta cercando di
comunicare, assicurando che ogni pezzo di
contenuto serva un duplice scopo: essere sia
coinvolgente per l'utente sia un vettore per il
messaggio del brand.

Progettazione Centrata sull'Utente

Centrare la progettazione dei contenuti visivi
sull'utente implica un approfondimento nella
psicologia e nei comportamenti dell'audience di
riferimento. Ciò richiede una comprensione
profonda delle loro aspirazioni, sfide, pain point
e journey, assicurando che ogni contenuto visivo
sia non solo rilevante, ma anche emotivamente
resonante e funzionale al percorso del cliente.

La creazione di contenuti visivi in un contesto di
social media management è una pratica
stratificata e multifaceted, intrisa di sfide e
opportunità. Una navigazione abile attraverso
queste acque richiede una profonda
comprensione del paesaggio digitale, una

strategia ben rifinita, e la capacità di adattarsi e innovare in risposta al feedback dell'audience e alle evoluzioni del mercato.

## Conclusioni sull'Uso delle Immagini e dei Video nei Social Media

La creazione e l'ottimizzazione di contenuti visivi svolgono un ruolo centrale nella strategia di ogni Social Media Manager che mira a realizzare campagne efficaci e coinvolgenti. La visualizzazione dei contenuti è una forma d'arte digitale che combina estetica, narrativa e psicologia dell'utente per creare esperienze immersive e memorabili che risuonano con il pubblico.

Integrazione del Contenuto Visivo con la Strategia Generale del Brand

L'integrazione efficace dei contenuti visivi con l'identità e gli obiettivi complessivi del brand richiede una pianificazione strategica che tenga conto non solo delle esigenze e delle aspettative dell'audience ma anche dell'essenza del marchio. Le immagini e i video devono servire come prolungamenti dell'identità del brand, veicolando messaggi chiari e coerenti che rafforzano la sua presenza nel digitale.

## Qualità e Autenticità del Contenuto

Prioritizzare la qualità e l'autenticità è vitale. I contenuti visivi dovrebbero essere non solo tecnicamente di alta qualità ma anche autenticamente allineati con i valori e gli obiettivi del brand. La genuinità nella creazione di contenuti spesso risuona di più con il pubblico, stabilendo un legame più profondo e fidato tra il brand e l'audience.

Continuità e Coerenza

Assicurare una continuità nel tono, stile e messaggio tra i diversi pezzi di contenuto visivo e attraverso le diverse piattaforme social garantisce un'esperienza utente omogenea. La coerenza consolida la riconoscibilità del brand e rinforza la sua narrativa, facilitando la costruzione di una community di follower leali e impegnati.

Metriche, Analisi e Adattabilità

L'analisi approfondita delle metriche relative ai contenuti visivi, come visualizzazioni, interazioni e condivisioni, è fondamentale per comprendere l'efficacia delle attuali strategie visive e per identificare aree di miglioramento o adattamento. L'agilità e la flessibilità nei confronti dei dati e dei feedback permettono di affinare continuamente la strategia visiva per assicurare la massima risonanza e impatto.

Accessibilità dei Contenuti Visivi

Assicurare che i contenuti visivi siano accessibili a un'ampia gamma di pubblico, inclusi coloro che hanno bisogno di accomodamenti come sottotitoli o descrizioni audio, non solo amplia la portata dei contenuti ma riflette anche un brand che è consapevole e inclusivo.

Conclusioni

Nell'era digitale moderna, l'importanza dell'uso strutturato di immagini e video nelle strategie di social media non può essere sottovalutata. I contenuti visivi, quando utilizzati efficacemente, hanno il potere di raccontare storie, coinvolgere emozionalmente l'audience, e guidare l'interazione e la conversione in modi che pochi altri mezzi possono. Navigare con competenza attraverso la creazione, l'ottimizzazione e l'analisi dei contenuti visivi richiede una comprensione acuta delle dinamiche dei social media, della psicologia dell'utente e della narrativa del brand. La sinergia tra questi elementi può culminare in una presenza sui social media che non solo eleva la percezione del brand ma costruisce anche relazioni significative con l'audience, spingendo il marchio verso nuove vette di riconoscimento e successo digitale.

8. SEO e Social Media • Ottimizzazione dei contenuti per i motori di ricerca.

## SEO e Social Media: L'Arte dell'Ottimizzazione dei Contenuti per i Motori di Ricerca

La convergenza tra SEO (Search Engine Optimization) e social media è una sinergia che, se esplorata e implementata adeguatamente, può catapultare la visibilità del contenuto digitale, aumentare l'engagement dell'audience e migliorare il posizionamento nei motori di ricerca. L'incrocio fra queste due discipline del marketing digitale offre un terreno fertile per una presenza online robusta e un engagement organico.

Intreccio tra SEO e Social Media

- **Visibilità dei Contenuti:** Una strategia SEO ben implementata aumenta la visibilità dei contenuti sui social media, mentre un engagement elevato sui social media può migliorare il ranking SEO.

- **Backlinking:** I social media sono piattaforme ideali per generare backlinks. Condividendo contenuti di qualità che vengono ulteriormente condivisi dagli utenti, i siti web ottengono backlink naturali che sono fondamentali per il SEO.

- **Authority del Dominio:** La popolarità e l'autorevolezza del tuo sito web, che può essere migliorata tramite una presenza sui social media solida e attiva, è un fattore chiave per un buon posizionamento SEO.
Strategie Chiave per Ottimizzare l'Intersezione tra SEO e Social Media

1. **Keyword Research Approfondita:** L'utilizzo di parole chiave rilevanti e ricercate nell'ambito dei contenuti social può aumentare la pertinenza e la visibilità di questi contenuti sia nei motori di ricerca che nelle ricerche interne delle piattaforme social.

2. **Contenuto di Qualità:** Creare contenuti che siano non solo ottimizzati per le parole chiave, ma che siano anche di alto valore per l'audience, aumentando la probabilità di condivisione e migliorando la reputazione e l'autorevolezza online.

3. **Ottimizzazione dei Profili Social:** I profili sui social media devono essere accuratamente ottimizzati con informazioni pertinenti, parole chiave target e collegamenti a altri canali digitali e siti web.

4. **Interazioni e Engagement:** L'interazione genuina con l'audience, rispondendo ai commenti, partecipando a discussioni e creando contenuti che incitino alla condivisione e al dialogo, amplifica la presenza digitale e

potenzialmente migliora il posizionamento nei motori di ricerca.

5. **Contenuti Multimediali Ottimizzati:** I contenuti visivi e multimediali dovrebbero essere ottimizzati per il SEO attraverso l'utilizzo di tag alt, descrizioni, titoli e sottotitoli appropriati e parole chiave pertinenti.

6. **Analisi e Adattamento:** Monitorare le metriche chiave e adattare la strategia in base ai dati e ai feedback dell'audience assicura che l'approccio SEO-social rimanga agile e orientato agli utenti.

Considerazione delle Piattaforme

Ogni piattaforma social ha le proprie peculiarità e pubblico di riferimento. Ad esempio, LinkedIn potrebbe essere più efficace per il B2B e i contenuti professionali, mentre Instagram e TikTok potrebbero essere più adatti per target più giovani e contenuti più visivi e intrattenitivi. L'ottimizzazione dei contenuti per ciascuna piattaforma, tenendo conto delle preferenze e dei comportamenti degli utenti, è cruciale.

Conclusione

L'ottimizzazione dei contenuti per i motori di ricerca all'interno dei social media è una pratica che va oltre la semplice promozione. Coinvolge l'attuazione di strategie SEO coerenti e adattive, che siano in grado di potenziare la presenza online e costruire una reputazione digitale solida e autorevole. In un ecosistema digitale in cui la competizione è feroce e l'attenzione dell'utente è volubile, la combinazione di SEO e social media sottolinea l'importanza di essere strategicamente visibili e autenticamente coinvolgenti. L'armonizzazione di questi due elementi non solo arricchisce l'esperienza dell'utente ma pone anche le fondamenta per una crescita digitale sostenibile e un engagement autentico.

Nell'ambito del SEO e dei social media, è essenziale considerare anche aspetti come l'indicizzazione dei contenuti sui social network e come essi interagiscono con i motori di ricerca. La presenza di parole chiave nei post e nelle pagine dei social media può anche influire sulla visibilità dei contenuti nei risultati dei motori di ricerca, migliorando ulteriormente la scopribilità dei contenuti al di fuori delle piattaforme social stesse.

Inoltre, l'uso intelligente degli snippet di contenuti visibili nei risultati dei motori di ricerca (come titoli, descrizioni e immagini) è cruciale per incoraggiare gli utenti a cliccare sul tuo contenuto quando lo vedono in Google, Bing, o qualsiasi altro motore di ricerca. Gli snippet, o estratti ottimizzati, giocano un ruolo vitale nell'attirare l'attenzione dell'utente e devono essere coerenti e allettanti.

L'intersezione tra SEO e social media si svela anche nel contesto del "social listening" e dell'analisi sentiment. Monitorare le conversazioni e le tendenze sui social media può rivelare intuizioni preziose sulle parole chiave emergenti e sui temi popolari, che possono essere integrati nella strategia SEO per capitalizzare i temi caldi e guadagnare visibilità.

Da non sottovalutare è l'importanza della velocità di caricamento delle pagine web e l'esperienza utente (UX) una volta che i visitatori arrivano sul tuo sito dai social media. Un sito ottimizzato per la velocità e con una UX solida non solo supporta le conversioni ma è anche un fattore SEO, poiché Google e altri motori di ricerca premiano i siti che offrono un'esperienza d'uso positiva.

I "Social Signals" sono un altro elemento fondamentale quando si discute di SEO e social media. Anche se il legame diretto tra i segnali sociali (like, condivisioni, commenti) e il ranking nei motori di ricerca non è stato completamente chiarito, molteplici case study e dati aneddotici suggeriscono una certa correlazione tra contenuti che ottengono un elevato grado di interazione sui social media e un posizionamento favorevole nei risultati dei motori di ricerca.

Una considerazione ulteriore riguarda l'utilizzo di funzionalità e piattaforme social specifiche, come Google My Business, che integra in modo diretto le attività SEO locali con una presenza sui social media. Ottimizzare la scheda Google My Business, integrando recensioni, post, eventi e offerte, può migliorare la visibilità nelle ricerche locali, mostrando al pubblico contenuti pertinenti e attuali direttamente nei risultati di ricerca.

Infine, mentre discutiamo dell'integrazione tra SEO e social media, è vitale parlare della narrativa e della coerenza del brand. La coerenza nelle informazioni, nel tono di voce e nello stile visivo attraverso i canali social e il sito web non solo rafforza l'identità del brand, ma facilita anche un percorso utente fluido e coerente attraverso vari touchpoints digitali. La coerenza del brand e la facilità di navigazione e comprensione delle informazioni sono cruciali per sostenere l'engagement utente e costruire la fiducia, aspetti che indirettamente influenzano positivamente sia la reputazione online sia il posizionamento SEO.

Queste considerazioni, insieme a quelle presentate in precedenza, delineano come l'integrazione delle strategie SEO e social media possa essere complessa e multifaccettata, richiedendo una comprensione non solo delle best practice tecniche ma anche del comportamento dell'utente e delle dinamiche specifiche delle diverse piattaforme social. La continua evoluzione delle piattaforme sociali e degli algoritmi dei motori di ricerca rende essenziale mantenere un approccio adattivo e centrato sull'utente, garantendo che le attività SEO e social siano non solo integrate ma anche resilienti di fronte al cambiamento e all'innovazione digitale.

Andando ancora più in profondità nell'integrazione tra SEO e social media, è importante notare come le diverse piattaforme social siano state integrate nei risultati dei motori di ricerca, e viceversa. Ad esempio, le attività su piattaforme come Pinterest e YouTube possono avere un impatto diretto sui risultati dei motori di ricerca, grazie alla loro stretta integrazione con Google. I contenuti popolari e ben ottimizzati su queste piattaforme possono comparire nei risultati di ricerca organici, creando un altro livello di visibilità e interazione per i contenuti del brand.

L'influenza di Google+ (nonostante la sua dismissione) è un esempio interessante del tentativo da parte di Google di integrare le funzionalità dei social media nei suoi servizi, influenzando la personalizzazione dei risultati di ricerca e tentando di incorporare una dimensione sociale nella scoperta dei contenuti online.

Mentre Google+ non è più operativo, ha lasciato

un'eredità che sottolinea l'importanza di pensare oltre i silos tra social media e SEO.

Parlando di contenuti, la scelta delle parole chiave nei post dei social media, così come nel contenuto del sito web, può avere un impatto sulla rilevanza e sulla scopribilità dei contenuti attraverso i canali. Le parole chiave e le frasi devono essere scelte in base a ricerche approfondite e devono riflettere non solo i termini comunemente utilizzati dal target di riferimento, ma anche la terminologia e il gergo specifico del settore.

Con l'importanza crescente delle ricerche vocali e assistite da AI, l'ottimizzazione per le query di ricerca conversazionale diventa sempre più pertinente. Ciò implica una comprensione delle domande e delle espressioni comuni utilizzate dal pubblico e l'integrazione di questi elementi nei contenuti social e nel contenuto on-page.

Anche il "Dark Social" (la condivisione di contenuti attraverso messaggi privati o app di messaggistica) merita attenzione in una discussione dettagliata su SEO e social media. Nonostante il dark social rappresenti una sfida in termini di tracciabilità e attribuzione, le strategie che incoraggiano la condivisione di contenuti attraverso canali privati possono influenzare indirettamente il traffico e l'engagement del sito web, anche se la misurazione precisa dell'impatto rimane elusiva.

Inoltre, è imperativo discutere la metrica e l'analisi dei dati in questo contesto. Utilizzare strumenti e piattaforme analitiche per tracciare il percorso dell'utente attraverso i social media, le ricerche organiche, e il sito web, è cruciale per comprendere e ottimizzare la performance e l'efficacia delle strategie integrate. Analytics permette di visualizzare quali contenuti e quali parole chiave guidano l'engagement e le conversioni, offrendo insight che possono essere utilizzati per affinare ulteriormente la strategia contenuti e SEO.

Il ruolo dei backlink nei social media, sebbene diverso dal tradizionale link-building nel SEO, è un altro punto da esplorare. Mentre i link provenienti dai social media sono in genere "nofollow" (non trasferiscono autorità dalla piattaforma social al sito web), generano traffico e aumentano la visibilità del contenuto, fattori che possono indirettamente influenzare la percezione della popolarità e della rilevanza di un sito da parte dei motori di ricerca.

Le reti sociali, inoltre, possono funzionare come motori di ricerca a sé stanti. Piattaforme come YouTube e Pinterest sono spesso utilizzate dagli utenti per cercare informazioni e ispirazioni, rendendo la presenza e l'ottimizzazione dei contenuti su queste piattaforme fondamentali non solo per la visibilità all'interno della piattaforma stessa ma anche per catturare traffico che può essere indirizzato al sito web principale.

In conclusione, l'intreccio tra SEO e social media è profondo e in continua evoluzione, richiedendo un'attenzione continua alle best practice, alle innovazioni delle piattaforme e alle tendenze del comportamento degli utenti. Il tutto deve essere contestualizzato in una strategia più ampia che tenga conto di come questi elementi interconnessi possano lavorare sinergicamente per sostenere gli obiettivi del brand nel digitale.

Esplorare la sinergia tra SEO e Social Media è fondamentale per sfruttare al massimo le opportunità di visibilità e interazione con l'audience nel mondo digitale. La connessione tra queste due discipline del marketing digitale non è lineare o diretta, ma piuttosto un intrico di influenze reciproche che operano attraverso diverse dinamiche e piattaforme.

**1. Algoritmi e Visibilità:** Gli algoritmi dei motori di ricerca e delle piattaforme social sono in costante evoluzione, ricercando continuamente nuovi modi per migliorare la rilevanza e la personalizzazione dei contenuti per gli utenti. Da un lato, abbiamo gli algoritmi dei motori di ricerca come Google che analizzano una vasta gamma di segnali per determinare la rilevanza e l'autorità di un sito web o di una pagina. Dall'altro, gli algoritmi dei social media come Facebook o Instagram che cercano di capire i comportamenti, le preferenze e le interazioni degli utenti per mostrare contenuti pertinenti e coinvolgenti.

**2. Engagement e Autorevolezza:** L'engagement ottenuto attraverso i social media non influenza direttamente il ranking nei motori di ricerca, ma può aumentare la visibilità e la distribuzione dei contenuti, creando potenzialmente opportunità per guadagnare backlink, aumentare la popolarità, e stimolare la condivisione e la discussione intorno al brand o ai suoi contenuti. La creazione di contenuti che guadagnano shares, likes, e commenti costruisce una forma di autorevolezza e visibilità che, mentre operativamente separata dall'autorità di dominio nel SEO, contribuisce al riconoscimento del brand e alla costruzione di una reputazione online.

**3. Dati e Analisi:** I dati ottenuti tramite Google Analytics, Search Console, e gli analitici delle piattaforme social offrono insight preziosi sul comportamento dell'utente, sulle preferenze del pubblico e sull'efficacia delle campagne. L'analisi di questi dati dovrebbe informare la strategia integrata SEO-Social, guidando le decisioni relative ai contenuti, alle parole chiave, e alle tattiche di engagement. Ad esempio, i contenuti che funzionano bene sui social media potrebbero essere sfruttati per migliorare l'engagement on-site, e viceversa, i dati relativi alle query di ricerca più performanti possono ispirare la creazione di contenuti per i social media.

**4. Ricerca Vocale e Assistente Virtuale:** Inoltre, con l'aumento della ricerca vocale e l'uso di assistenti virtuali come Google Assistant o Siri, la SEO sta diventando sempre più conversazionale. Questo sviluppo dovrebbe essere riflesso anche nei social media, dove i brand possono utilizzare un linguaggio naturale e creare contenuti che rispondono direttamente alle domande e ai bisogni degli utenti.

**5. Contenuti Cross-Canale:** La coerenza e la complementarietà dei contenuti attraverso SEO e social media devono essere mantenute per fornire un'esperienza utente omogenea e rinforzare i messaggi chiave del brand. La costruzione di una narrativa integrata che attraversa il sito web, il blog, e i canali social assicura che gli utenti ricevano messaggi coerenti e ben coordinati, indipendentemente dal punto di contatto o dalla fase del funnel in cui si trovano.

**6. Test A/B e Ottimizzazione:** La sperimentazione e l'ottimizzazione attraverso test A/B, sia nel SEO che nei social media, facilita una comprensione più profonda di ciò che risuona con l'audience, permettendo ai marketer di affinare continuamente le loro strategie per migliorare la performance.

**Conclusione:** La stretta integrazione di SEO e social media in una strategia di marketing digitale coerente e basata sui dati non solo massimizza la visibilità del brand in due dei canali più critici del digitale, ma crea anche un'ecosistema online in cui l'engagement e la conversione sono ottimizzati attraverso un'esperienza utente unificata e valorizzante. Ogni touchpoint digitale, sia che si tratti di una pagina dei risultati del motore di ricerca o di un feed dei social media, rappresenta un'opportunità per i brand di connettersi, coinvolgere e convertire il loro pubblico target. L'armonizzazione di SEO e social media assicura che queste opportunità siano pienamente realizzate, guidando l'engagement e le conversioni attraverso un percorso utente fluido e centrato sull'utente dal primo contatto alla conversione e oltre.

9. Gestione della Community • Interazione e moderazione dei follower.

La gestione della community è una componente cruciale per chiunque lavori nel social media management. I followers di un brand non sono solo numeri: sono persone reali che hanno scelto di connettersi con un marchio e, pertanto, richiedono attenzione, cura e un'interazione significativa. Avere una community ben gestita può tradursi in clienti fedeli, promotori del brand e un aumento della visibilità online.

**1. Creare un Ambiente Positivo:** È essenziale creare un ambiente positivo e accogliente all'interno della community, dove gli utenti si sentano liberi di esprimere le proprie opinioni senza timore di essere attaccati o ridicolizzati. Definire chiaramente le regole della community e assicurarsi che siano rispettate è fondamentale per mantenere l'ambiente sano e inclusivo.

**2. Interazioni Autentiche:** Interagire autenticamente con la community non significa solo rispondere ai commenti o ai messaggi, ma anche partecipare attivamente alle discussioni, chiedere feedback, creare sondaggi e mostrare un genuino interesse verso le opinioni e le esperienze degli utenti.

**3. Gestione delle Crisi:** È altrettanto vitale essere preparati a gestire le crisi. Che si tratti di un cliente insoddisfatto che esprime il suo disappunto pubblicamente o di un errore fatto dal brand, è importante rispondere rapidamente, professionalmente e, se necessario, umilmente, ammettendo eventuali errori e delineando i passi che saranno intrapresi per risolvere la situazione.

**4. Uso di Tool di Monitoraggio:** L'uso di strumenti di monitoraggio dei social media permette di tenere traccia delle conversazioni relative al brand, di intercettare eventuali problemi prima che diventino crisi e di riconoscere e ringraziare gli utenti che condividono contenuti positivi relativi al brand.

**5. Valorizzare i Membri Attivi:** Valorizzare i membri più attivi e leali della community può portare a creare brand ambassadors in modo organico. Considera programmi di fidelizzazione o riconoscimento, condivisione dei loro contenuti (sempre chiedendo il permesso) e offrendo loro l'accesso anticipato a notizie o prodotti.

**6. Creazione di Contenuti User-Generated:** Incoraggiare la creazione di contenuti user-generated può non solo fornire al brand contenuti autentici e risonanti da condividere, ma anche fare sentire la community ascoltata e valorizzata. Questo potrebbe essere fatto attraverso contest, hashtag challenges, o semplicemente condividendo i contenuti creati dagli utenti (dando sempre il dovuto credito).

**7. Gruppi e Forum esclusivi:** Creare spazi esclusivi come gruppi o forum, dove i membri della community possono connettersi, discutere e condividere in un ambiente più intimo e focalizzato, può incrementare il senso di appartenenza e fedeltà verso il brand.

**8. Offrire Supporto:** Fornire supporto tempestivo, accurato e amichevole quando gli utenti si rivolgono al brand con domande o problemi attraverso i social media. La rapidità e l'efficacia della comunicazione sono cruciali per mantenere un'immagine positiva del brand.

**9. Programmazione di Eventi Virtuali:** Organizzare eventi virtuali come dirette, webinar, o Q&A sessioni, che permettano alla community di connettersi con il brand e tra loro in tempo reale, aumentando il senso di appartenenza e coinvolgimento.

**Conclusione:** Un brand che cura attivamente la propria community beneficerà di un pubblico più coinvolto, leale e positivo. Le relazioni costruite attraverso un'efficace gestione della community possono tradursi in clienti a lungo termine e sostenitori del brand, che non solo acquisteranno i prodotti o i servizi, ma diventeranno anche ambasciatori del brand all'interno delle loro reti, ampliando ulteriormente la portata e l'influenza del brand nel mondo digitale.

Il ruolo della gestione della community nei social media si estende oltre l'interazione diretta e il supporto ai clienti. Esploriamo ulteriori dinamiche e strategie.

**10. Uso Etico e Responsabile dei Dati:** La protezione e l'uso etico dei dati raccolti attraverso le piattaforme di social media devono essere una priorità. La trasparenza su come i dati vengono utilizzati, e assicurare che siano gestiti in modo sicuro, è fondamentale per mantenere la fiducia della community.

**11. Inclusività e Diversità:** Una community deve riflettere un impegno nei confronti dell'inclusività e della diversità. Questo significa assicurarsi che le comunicazioni e i contenuti siano accessibili e inclusivi, considerando aspetti come l'uso del linguaggio, le rappresentazioni visive e l'accessibilità per persone con disabilità.

**12. Flusso di Comunicazione Bidirezionale:** Mantenere un dialogo aperto con la community, che non sia soltanto focalizzato su annunci e contenuti promozionali, ma anche sulla raccolta di feedback, idee e suggerimenti da parte dei membri della community stessa.

**13. Formazione del Team di Community Management:** L'equipaggio che gestisce la community deve essere costantemente formato e aggiornato riguardo le migliori pratiche, i tool utilizzati e le politiche aziendali, per assicurare un approccio omogeneo e professionale nella gestione della community.

**14. Personalizzazione dell'Esperienza Utente:** Utilizzando gli analytics e i dati demografici, personalizza l'esperienza utente proponendo contenuti e interazioni che siano il più possibile rilevanti per diversi segmenti della tua audience.

**15. Creare e Valorizzare i Contenuti Generati dagli Utenti (UGC):** Oltre alla semplice condivisione, creare campagne che invitino gli utenti a generare contenuti specifici, che possano essere utilizzati in future strategie di marketing, garantendo sempre credito e riconoscimento agli autori originali.

**16. Tolleranza Zero per Comportamenti Nocivi:** Assicurarsi che la community sia un luogo sicuro per tutti i membri, implementando politiche chiare contro molestie, bullismo e altri comportamenti nocivi, e assicurandosi che siano applicate in modo rigoroso.

**17. Misurare e Analizzare l'Impegno:** Utilizzare metriche e KPI specifici per valutare l'efficacia delle strategie di gestione della community, come il grado di impegno, la crescita della community, e la soddisfazione degli utenti, e adattare le strategie di conseguenza.

**18. Celebrare i Successi:** Condividere e celebrare i successi e i milestone del brand con la community, e allo stesso tempo, riconoscere e festeggiare i successi e le storie all'interno della community stessa.

**19. Eventi e Opportunità Esclusive:** Offrire alla tua community accesso a eventi, sconti, e opportunità esclusive per aumentare il senso di appartenenza e di esclusività, premiando così la loro lealtà e impegno.

**20. Politiche Chiare e Coerenti:** Stabilire linee guida e politiche chiare e coerenti per quanto riguarda la condotta all'interno della community e assicurarsi che siano facilmente accessibili e comprensibili per tutti i membri.

**21. Feedback e Aggiornamenti Regolari:** Fornire aggiornamenti regolari sulla crescita della community, cambiamenti, e future direzioni, e allo stesso tempo, essere aperti al feedback e attuare i cambiamenti quando necessario e possibile.

**22. Creazione di una Guida della Community:** Sviluppare una guida o delle FAQ per i nuovi membri, per facilitare il loro inserimento nella community e assicurarsi che siano a conoscenza delle funzionalità, delle politiche e delle risorse disponibili.

La gestione della community nei social media non è solo una funzione operativa, ma una strategia essenziale per costruire e mantenere relazioni con i clienti e i fan in modo autentico e significativo. L'investimento in una gestione efficace della community porta a relazioni più forti e durevoli, una migliore comprensione delle esigenze e delle aspettative dei clienti, e in ultima analisi, a una reputazione del brand solida e positiva nel lungo termine.

Continuando a esplorare l'ambito della gestione della community, esaminiamo alcune ulteriori sfaccettature e considerazioni fondamentali per chi opera nel ruolo di Social Media Manager.

**23. Crisis Management:** La gestione della community deve includere una strategia robusta per il crisis management. Quando si verificano problemi, come insoddisfazione dei clienti o pubblicità negativa, è fondamentale essere preparati per rispondere in modo proattivo, transparente e tempestivo per mantenere la fiducia nella community.

**24. Utilizzo delle Storie dei Clienti:** Le testimonianze e le storie dei clienti possono essere una potente forma di contenuto. Con il permesso, condividere le esperienze positive degli utenti, magari sotto forma di case study o storie di successo, per costruire credibilità e connessione emotiva con la tua audience.

**25. Creazione di Gruppi o Forum Privati:** Considerare la creazione di spazi esclusivi, come gruppi o forum privati, dove i membri più attivi o fedeli della community possono interagire, condividere idee e ricevere contenuti o offerte esclusive.

**26. Collaborazioni con Influencer e Creator:** Identificare e costruire relazioni con influencer e creator all'interno della tua community può potenziare ulteriormente il tuo reach e l'autenticità, creando collaborazioni che portano valore reciproco.

**27. Creazione di Sondaggi e Questionari:** Gli strumenti di feedback come sondaggi e questionari non solo forniscono dati preziosi ma sono anche un'ottima maniera per far sentire la tua community ascoltata e valorizzata.

**28. Valutazione Costante delle Strategie:** Una revisione e valutazione periodica delle strategie e tattiche di community management sono fondamentali per assicurare che siano sempre allineate con gli obiettivi aziendali e le esigenze della community.

**29. Leadership nella Community:** Mostrare leadership attraverso l'assunzione di posizioni su questioni importanti, mostrando autenticità e coerenza, e diventando una voce rispettata all'interno della tua nicchia o settore.

**30. Strumenti di Automazione:** L'utilizzo di strumenti di automazione per alcune attività, come i post programmabili o le risposte ai messaggi frequenti, può migliorare l'efficienza senza sacrificare l'autenticità.

**31. Programmi di Riconoscimento e Reward:** Sviluppare programmi per riconoscere e premiare i membri più attivi e contribuenti della tua community per mantenere alto il livello di impegno e valorizzare la loro partecipazione.

**32. Approccio Multilingue e Globale:** Se la tua community è globale, considera la possibilità di utilizzare diverse lingue e di tenere conto delle diverse culture e fusi orari nella tua strategia di comunicazione e contenuto.

**33. Educazione e Formazione:** Offrire sessioni formative, webinar, e materiali educativi per aiutare la tua community a utilizzare al meglio i tuoi prodotti o servizi, o per ampliare le loro conoscenze nel tuo settore.

**34. Eventi Virtuali:** Organizzare eventi virtuali come dirette, AMA (Ask Me Anything), webinar, e altro, per mantenere elevato l'engagement e offrire valore aggiunto.

**35. Legalità e Conformità:** Assicurati che tutte le attività di gestione della community siano in linea con le leggi e regolamenti locali e internazionali, inclusi quelli relativi alla privacy e alla protezione dei dati.

**36. Flessibilità e Adattabilità:** Essere pronti a modificare e adattare la tua strategia di community management in risposta ai cambiamenti nel panorama dei social media, alle tendenze emergenti, e al feedback della community.

**37. Salute della Community:** Monitorare costantemente la 'salute' della tua community, prestando attenzione a metriche come il tono delle conversazioni, la frequenza e la qualità dell'interazione, e l'emergere di eventuali comportamenti tossici o problematici.

Il mantenimento e la crescita di una community online non sono compiti da poco. Attraverso l'implementazione di strategie solide e tecniche multidimensionali, il Social Media Manager può trasformare una semplice presenza sui social media in una comunità vivace e coinvolta, dove i membri si sentono valorizzati, ascoltati e connessi al brand in modi significativi e autentici.

Concludendo il punto relativo alla "Gestione della Community" nei social media, è fondamentale sottolineare come il management efficace di una comunità virtuale sia essenziale nel costruire, mantenere e sviluppare un brand nell'ambiente digitale. La community online non è semplicemente un pubblico; è un insieme di individui che condividono interessi, valori o obiettivi simili e che, grazie alla piattaforma digitale, sono in grado di interagire, condividere esperienze e contenuti.

Il ruolo del Social Media Manager nella gestione della community non è solo quello di un moderatore o amministratore, ma piuttosto quello di un leader, un mentore, e spesso anche di un amico. Nella gestione quotidiana di una comunità, il Social Media Manager deve essere capace di ascoltare, interagire, e agire in modo proattivo, anticipando le esigenze della comunità e reagendo prontamente alle situazioni che potrebbero sorgere.

È, quindi, cruciale:

- **Mantenere una Comunicazione Consistente:** assicurarsi che ogni comunicazione sia coerente con i valori e le norme del brand e della community.
- **Creare un Ambiente Positivo:** lavorare attivamente per costruire e mantenere un ambiente online che incoraggi la partecipazione, il rispetto reciproco e la condivisione autentica tra i membri.
- **Fornire Valore:** garantire che la community riceva valore attraverso contenuti informativi, supporto e risorse utili.

- **Ascoltare Attivamente:** non solo monitorare, ma anche ascoltare attivamente ciò che la comunità condivide e esprime, utilizzandolo come feedback per migliorare e ottimizzare le strategie future.
- **Essere Reattivi:** prontezza nel rispondere ai commenti, domande, e possibili critiche in modo costruttivo e professionale.
- **Riconoscere e Premiare:** valorizzare i membri attivi e costruire programmi di fidelizzazione e riconoscimento.

Sviluppare un rapporto bidirezionale con la community significa anche proteggerla, soprattutto quando emergono sfide e crisi. Il crisis management dovrebbe quindi essere attentamente pianificato e gestito con trasparenza, onestà, e responsabilità, mantenendo sempre in vista la fiducia e il rispetto della comunità.

Inoltre, l'implementazione di tecnologie e strumenti per il monitoraggio, l'analisi e la misurazione delle performance della community sono essenziali per comprendere il ROI delle attività sui social media e per guidare decisioni future basate su dati e insight accurati.

Il successo nella gestione della community si riflette non solo nei numeri ma anche nel sentiment della community, nella lealtà costruita, e nelle relazioni autentiche sviluppate nel tempo, che possono trasformare i membri della community da semplici follower a veri e propri ambasciatori del brand. La costante evoluzione delle piattaforme social e dei comportamenti degli utenti richiede, infine, una continua formazione e aggiornamento delle competenze del Social Media Manager, per assicurare una gestione della community sempre all'avanguardia e in linea con le migliori pratiche del settore.

10. Public Relations e Collaborazioni • Costruire relazioni con influencer e altri brand.

Le Public Relations (PR) e le collaborazioni rappresentano aspetti cruciali nella strategia di un Social Media Manager. Nell'era digitale, costruire e mantenere relazioni solide non solo con il proprio pubblico di riferimento ma anche con influencer, altri brand, e media è fondamentale per ampliare la portata e l'impatto delle proprie attività sui social media.

**Public Relations sui Social Media**

**1. Comunicati Stampa e Notizie:** Utilizzare i social media per diffondere comunicati stampa e altre notizie relative al brand, assicurandosi che il linguaggio e il formato siano adeguati alle piattaforme utilizzate e al pubblico target.

**2. Gestione della Reputazione:** Monitorare e gestire attivamente la reputazione del brand sui social media, rispondendo in modo proattivo e professionale a recensioni, commenti e menzioni, sia positivi che negativi.

**3. Eventi:** Utilizzare i social media per promuovere eventi del brand, siano essi fisici o virtuali, e per interagire con il pubblico durante l'evento stesso attraverso live-tweeting, streaming live, e altri metodi interattivi.

**4. Relazioni con i Media:** Creare e mantenere relazioni con giornalisti e media attraverso i social media, fornendo informazioni, risorse e contenuti utili.

## Collaborazioni e Partnership

**1. Identificazione di Potenziali Partner:** Riconoscere influencer e brand che condividono un pubblico o valori simili e che potrebbero essere partner adatti per collaborazioni.

**2. Outreach:** Avviare contatti e proporre collaborazioni attraverso messaggi diretti, email, o attraverso piattaforme specializzate.

**3. Creare Win-Win Situations:** Assicurarsi che la collaborazione porti vantaggi mutuali, offrendo valore sia al brand sia all'influencer o al partner.

**4. Co-creazione di Contenuti:** Lavorare insieme nella creazione di contenuti unici e autentici che possano essere condivisi attraverso i canali social di entrambe le parti.

**5. Utilizzo di Piattaforme e Strumenti:**
Sfruttare piattaforme e strumenti digitali che
facilitano la gestione delle collaborazioni e delle
campagne di influencer marketing.

**Aspetti Etici e Trasparenza**

**1. Chiarezza:** Essere chiari riguardo al fatto che
una collaborazione o partnership è in corso,
rispettando le normative e le best practices
relative alla pubblicità e al marketing.

**2. Autenticità:** Scegliere collaborazioni che
siano in linea con i valori del brand per
mantenere autenticità e coerenza.

**3. Rispetto delle Normative:** Assicurarsi che
ogni collaborazione sia conforme alle leggi e
normative locali e internazionali relative alla
pubblicità e alle comunicazioni di marketing.

**4. Monitoraggio e Analisi:** Tracciare le
metriche delle campagne collaborative per
valutarne l'efficacia e apportare miglioramenti
nelle future collaborazioni.

Combinare strategie di PR con iniziative di
collaborazione richiede una pianificazione
attenta e una comprensione chiara dei propri
obiettivi, del pubblico e dei canali di
comunicazione. La coerenza tra messaggi, valori
del brand, e l'identità della figura o entità con cui
si stabilisce una partnership è fondamentale per
garantire che le collaborazioni siano percepite

come autentiche e generate risultati positivi per tutte le parti coinvolte.


Approfondire il concetto di Public Relations (PR) e collaborazioni nel contesto del social media management implica esplorare l'intreccio tra comunicazione digitale, marketing e branding.

**Network Building nelle PR**

**1. Costruzione di Relazioni Professionali:** Lavorare attivamente per creare relazioni con professionisti del settore, altri social media manager, e specialisti del marketing digitale attraverso eventi networking, webinars e forum online.

**2. Creare Gruppi o Community:** Istituire spazi, come gruppi o forum, dove i professionisti e gli appassionati del settore possano condividere insights, strategie e sfide, fortificando così il posizionamento del brand all'interno della nicchia di riferimento.

**3. Colloqui e Interviste:** Pianificare e condurre interviste con personaggi chiave dell'industria, creando contenuti esclusivi e generando discussioni intorno ai temi più attuali del settore.

## Strategie di Collaborazione Oltre gli Influencer

**1. Collaborazioni Cross-Brand:** Esplorare potenziali partnership con marchi che offrono prodotti o servizi complementari per creare campagne congiunte, sfruttando i rispettivi pubblici per espandere la portata.

**2. Progetti di Charity o CSR:** Intraprendere iniziative di responsabilità sociale d'impresa (CSR) o charity collaborando con organizzazioni no-profit, che oltre a generare impatto positivo nella società, migliorano l'immagine del brand.

**3. Progetti di Co-Marketing:** Sviluppare campagne di co-marketing con altre aziende per condividere le risorse e massimizzare l'impatto attraverso i canali social combinati.

## Approcci Innovativi nelle PR e Collaborazioni

**1. Utilizzo di Tecnologie Emergenti:** Sperimentare l'uso di nuove tecnologie, come la realtà aumentata o la blockchain, nelle campagne di PR e collaborazione per aggiungere un elemento di novità e interazione.

**2. Podcast e Streaming Live:** Sfruttare la popolarità dei podcast e degli streaming live per creare contenuti che esplorino temi rilevanti e coinvolgano ospiti influenti, creando simultaneamente occasioni per collaborazioni.

**3. Gamification:** Integrare elementi di gamification nelle strategie di PR e collaborazione, incentivando l'engagement degli utenti attraverso meccaniche ludiche e ricompense.

## Le PR Nella Gestione delle Crisi

**1. Preparazione e Pianificazione:** Elaborare piani dettagliati su come gestire potenziali crisi comunicative sui social media, comprendendo messaggi chiave, canali di comunicazione e azioni correttive.

**2. Monitoraggio Attivo:** Utilizzare strumenti di social listening per monitorare attivamente menzioni e sentiment legati al brand, identificando tempestivamente potenziali segnali di crisi.

**3. Comunicazione Proattiva:** In caso di crisi, assumere un approccio proattivo nella comunicazione, fornendo aggiornamenti regolari e mantenendo un dialogo aperto con il pubblico. Questo tuffo più profondo nelle PR e nelle collaborazioni dimostra quanto siano multi-dimensionali e ricche di sfaccettature queste pratiche all'interno delle strategie di social media management. Ogni sotto-punto potrebbe essere ulteriormente esploso in diversi argomenti specifici, creando così un vortice di informazioni e strategie che potrebbero essere implementate da un social media manager efficace e innovativo.

In conclusione, il mondo delle Public Relations (PR) e delle collaborazioni, specialmente nel contesto dei social media, è vasto e dinamico, offrendo un terreno fertile per innovative strategie di marketing e comunicazione. Un management efficace delle PR e delle collaborazioni su piattaforme social richiede una combinazione di strategie proattive e reattive, intuizione creativa, e una profonda comprensione delle dinamiche delle piattaforme digitali e del pubblico di riferimento.

**Componenti Chiave della Gestione delle PR e delle Collaborazioni**

**1. Analisi e Ricerca:**

- **Analisi della Niche:** Comprendere in modo approfondito la nicchia di mercato, individuando influencer e brand che risuonano autenticamente con il proprio pubblico.
- **Ricerca Competitiva:** Esaminare come i concorrenti gestiscono le loro PR e le collaborazioni per identificare opportunità e gap nel mercato.

**2. Personalizzazione e Autenticità:**

- **Allineamento dei Valori:** Assicurarsi che tutte le collaborazioni e le iniziative PR siano allineate con i valori e gli obiettivi del brand.
- **Messaggi Personalizzati:** Curare messaggi autentici e personalizzati che riflettano l'essenza

del brand e siano coerenti su tutti i canali di comunicazione.

### 3. Strategia e Pianificazione:

- **Pianificazione Strategica:** Sviluppare un piano strategico che mappa in modo chiaro tutte le iniziative di PR e collaborazione.
- **Calendario Editoriale:** Integrare tutte le attività di PR e collaborazione nel calendario editoriale per assicurare coerenza e flusso nei contenuti condivisi.

### 4. Metriche e Analisi:

- **Monitoraggio delle Prestazioni:** Utilizzare strumenti analitici per tracciare le prestazioni e l'impatto delle iniziative.
- **Analisi dei Risultati:** Valutare il ritorno sugli investimenti (ROI) e l'impatto delle campagne per fare aggiustamenti strategici.

### 5. Gestione delle Relazioni:

- **Manutenzione delle Relazioni:** Investire tempo e risorse nel coltivare e mantenere relazioni con partner, influencer e media.
- **Network Professionale:** Partecipare attivamente a eventi, conferenze e forum del settore per allargare la rete professionale e creare nuove opportunità di collaborazione.

### 6. Crisis Management:

- **Preparazione alla Crisi:** Sviluppare e testare piani di gestione delle crisi per assicurare una risposta efficace quando necessario.

- **Comunicazione di Crisi:** Mantenere la comunicazione chiara, coerente e tempestiva durante le crisi, proteggendo la reputazione del brand.

**7. Innovazione e Adattabilità:**

- **Esplorazione di Nuovi Canali:** Essere sempre alla ricerca di nuove piattaforme e tattiche di comunicazione.
- **Adattabilità Strategica:** Essere pronti a pivotare la strategia in risposta alle dinamiche mutevoli del mercato e del comportamento del consumatore.

Incorporare questi elementi nella gestione delle PR e delle collaborazioni su social media non solo potenzierà la presenza digitale del brand, ma anche solidificherà la sua reputazione e relazioni nel paesaggio digitale e oltre. Ogni attività e strategia dovrebbe essere intrisa di autenticità e un forte allineamento con i valori del brand, assicurando che ogni interazione e partnership sia genuina, costruttiva e reciprocamente vantaggiosa.

11. Advertising sui Social Media • Creazione e gestione di campagne pubblicitarie.

**Advertising sui Social Media: Creazione e gestione di campagne pubblicitarie**

La pubblicità sui social media è diventata un elemento cruciale per molte aziende che cercano di raggiungere pubblici specifici in modi innovativi e coinvolgenti. Iniziare con l'advertising sui social media richiede una comprensione approfondita delle diverse piattaforme, del pubblico e degli strumenti pubblicitari disponibili. Ecco un'esplorazione dettagliata e articolata del mondo dell'advertising sui social media.

**1. Comprendere le Piattaforme**

Ciascuna piattaforma sociale, da Facebook a TikTok, offre una varietà di strumenti pubblicitari specifici e modi unici per interagire con diversi demografici.

- **Facebook** è noto per la sua capacità di targettizzazione dettagliata e varietà di formati di annunci.
- **Instagram** si presta per una pubblicità visiva e storytelling attraverso immagini e video.
- **LinkedIn** è l'ideale per B2B e per raggiungere professionisti e decision-makers aziendali.
- **TikTok**, con la sua demografia più giovane, è ottimale per campagne creative e virali.

## 2. Definire Obiettivi Pubblicitari

Gli obiettivi devono guidare ogni campagna pubblicitaria.

- **Brand Awareness:** Creare consapevolezza attorno al brand o a un prodotto specifico.
- **Lead Generation:** Raccogliere dati di contatto dei potenziali clienti.
- **Conversioni:** Spingere i clienti verso un acquisto o un'altra azione desiderata.

## 3. Targetizzazione dell'Audience

Conoscere e comprendere il pubblico di destinazione è fondamentale.

- **Dati Demografici:** Età, genere, ubicazione, ecc.
- **Interessi e Comportamenti:** Interazioni passate, preferenze di acquisto, e altri comportamenti online.

## 4. Creare Contenuti Adatti

Il contenuto dell'annuncio deve essere rilevante e coinvolgente.

- **Visual Creativi:** Immagini e video che catturano l'attenzione.
- **Copy Efficace:** Testi che comunicano chiaramente il messaggio e il valore.

## 5. Gestione del Budget

Avere una gestione oculata delle risorse finanziarie dedicate.

- **Costi per Clic (CPC):** Valutare quanto si è disposti a pagare per ogni interazione.

- **Costi per Mille (CPM):** Considerare il costo per mille impressioni.

## 6. Ottimizzazione delle Campagne

Analizzare e adeguare le campagne per massimizzarne l'efficacia.

- **A/B Testing:** Sperimentare con diversi elementi degli annunci per vedere cosa funziona meglio.
- **Ri-targeting:** Riorientare gli annunci verso utenti che hanno già interagito con il brand.

## 7. Analisi e Valutazione

La misurazione delle prestazioni è essenziale per comprendere il ROI.

- **Analisi dei Dati:** Utilizzare gli analytics per esaminare le prestazioni della campagna.
- **Adattamento Strategico:** Fare modifiche in tempo reale basate sull'analisi delle prestazioni.

## 8. Conformità Legale e Etica

Assicurarsi che gli annunci rispettino le linee guida legali e etiche.

- **Trasparenza:** Essere chiari riguardo al fatto che si tratta di contenuti a pagamento.
- **Rispetto della Privacy:** Gestire i dati dei clienti in modo etico e conforme alle normative.

## 9. Integrazione Multicanale

L'advertising sui social media non dovrebbe esistere in isolamento.

- **Strategia Omnicanale:** Integrare le campagne social con altre strategie di marketing.

- **Coerenza del Brand:** Mantenere un messaggio e un'immagine di marca coerenti attraverso tutti i canali.

Il successo nell'advertising sui social media giace nella fusione di strategie datate, contenuti coinvolgenti, analisi rigorose, e un adattamento continuo alle tendenze del mercato e alle risposte del pubblico. Approfondendo e applicando queste pratiche, i brand possono navigare con successo nel panorama complesso e dinamico della pubblicità sui social media, creando campagne che non solo raggiungono, ma anche risuonano, con il loro pubblico di destinazione.

## Comprendere il Contesto delle Campagne Pubblicitarie sui Social Media

In un ambiente digitale in continua evoluzione, l'advertising sui social media deve abbracciare un approccio multidimensionale e dinamico. L'incessante espansione delle piattaforme social e le mutevoli abitudini degli utenti richiedono un impegno costante per rimanere rilevanti e penetranti nelle strategie pubblicitarie.

Esplorare Nuove Piattaforme e Trend

- **Adattamento ai Nuovi Media:** L'irruzione di nuovi social media come Clubhouse e Discord richiede un'attenzione specifica verso formati emergenti come le chat vocali o le comunità virtuali.

- **Virtual e Augmented Reality (VR/AR):** Le esperienze immersive stanno guadagnando terreno, offrendo nuove opportunità per pubblicità immersiva e coinvolgente.
- **NFT e Blockchain:** L'emergere delle tecnologie blockchain e dei Non-Fungible Tokens (NFT) stanno lentamente permeando l'arena social, offrendo nuove avanguardie per il coinvolgimento e la monetizzazione.
Campagne Inclusiva e Culturalmente Consapevoli
- **Diversity & Inclusion:** Assicurare che le campagne pubblicitarie siano culturalmente sensibili e rappresentative della diversità globale, rispecchiando e rispettando varie identità e esperienze.
- **Responsabilità Sociale:** Integrare la responsabilità sociale e ambientale nelle campagne, dimostrando un impegno etico e sociale del brand nei confronti di questioni globali.
Sfruttare l'Intelligenza Artificiale (IA) e il Machine Learning (ML)
- **Automazione con IA:** Utilizzare l'intelligenza artificiale per ottimizzare le campagne in tempo reale, adattando gli annunci alle dinamiche mutevoli degli utenti e del mercato.
- **Analisi Predittive:** Implementare algoritmi di machine learning per anticipare le tendenze degli

utenti, personalizzando gli annunci per massimizzare la risonanza e il coinvolgimento.
Creare Esperienze Personalizzate

- **Personalizzazione Dinamica:** Utilizzare dati e analitiche per creare messaggi personalizzati che parlino direttamente ai bisogni e ai desideri degli utenti individuali.
- **Journey dell'Utente:** Mappare il percorso dell'utente attraverso diversi punti di contatto e canali, assicurando che la pubblicità sia integrata e omogenea lungo tutto il cammino del cliente.
Fusione di Dati Offline e Online
- **Convergenza O2O:** Costruire ponti tra esperienze offline e online, assicurando che le campagne social siano sinergiche con gli eventi e le iniziative nel mondo fisico.
- **Geo-Targeting:** Utilizzare dati geografici per creare campagne localizzate che parlino alle specifiche culturali e sociali delle diverse regioni e località.
Creazione di Contenuti Generati dagli Utenti (UGC)
- **Incentivare l'UGC:** Incoraggiare gli utenti a creare e condividere contenuti legati al brand, utilizzando le loro voci e creatività come amplificatori delle campagne pubblicitarie.
- **Concorsi e Challenge:** Creare campagne interattive che incanalino l'engagement degli

utenti attraverso challenge e concorsi, generando visibilità e interazione organica.

Le campagne pubblicitarie sui social media devono essere fluide, flessibili e incessantemente innovatrici. In un'era digitale che non dorme mai, i brand devono rimanere perpetuamente sintonizzati sulle nuove ondate di tendenze, tecnologie e comportamenti degli utenti, assicurando che ogni campagna non solo colpisca, ma anche incanti, il pubblico nel profondo, creando connessioni che vanno ben oltre il clic.

Navigando nel vasto oceano dell'Advertising sui Social Media, emergono vari aspetti cruciali che i professionisti del marketing digitale devono costantemente sondare e analizzare. L'ambiente social, sempre più complesso e sfaccettato, si espande incessantemente, rendendo essenziale una comprensione approfondita di ogni singolo elemento che costituisce una campagna pubblicitaria online.

**Narrativa di Marca e Storytelling**

Una narrazione coinvolgente e genuina può agire come un catalizzatore potente per l'engagement del pubblico e la fedeltà al brand. L'arte dello storytelling nei social media va ben oltre la creazione di contenuti visivi e testuali; si tratta di tessere un racconto che può permeare ogni pixel e parola dei messaggi pubblicitari.

- **Emotività:** La creazione di annunci che toccano il cuore e l'anima del pubblico, evocando emozioni genuine e reazioni, diventa fondamentale. La psicologia del colore, il linguaggio visivo e le parole scelte sono tutti elementi che devono essere curati con estrema attenzione.

- **Consistenza del Messaggio:** Assicurare che ogni annuncio e messaggio sia allineato con la narrazione generale del brand, mantenendo un tono, stile e voce coerenti attraverso tutte le piattaforme e i mezzi.

### Analisi e Misurazione delle Prestazioni

Per fare in modo che le campagne pubblicitarie sui social media siano non solo innovative ma anche efficaci, è vitale eseguire analisi dettagliate e monitorare costantemente le prestazioni.

- **KPI e Obiettivi:** Identificare chiaramente gli indicatori chiave di prestazione (KPI) e stabilire obiettivi realistici e misurabili che guidino ogni decisione strategica e creativa.

- **Test A/B:** La realizzazione di test A/B sugli annunci permette di isolare variabili specifiche e comprendere cosa risuona di più con il pubblico, consentendo ottimizzazioni in tempo reale e adattamenti basati su dati effettivi.

## Coinvolgimento e Conversione

Oltre a creare annuncio accattivanti, è essenziale concentrarsi su strategie che non solo catturino l'attenzione ma anche incanalino quell'interesse verso azioni concrete e conversioni.

- **CTA Efficaci:** Creare call-to-action (CTA) chiari, visibili e irresistibili, guidando gli utenti attraverso un percorso senza attriti verso la conversione desiderata.
- **Funnels Ottimizzati:** Esaminare e perfezionare costantemente i funnels di conversione, assicurando che ogni passaggio del percorso dell'utente sia intuitivo, gratificante e libero da ostacoli.

## Adattabilità e Resilienza

In un mondo digitale in costante evoluzione, la capacità di adattarsi ai cambiamenti e rimanere resilienti di fronte alle sfide è imperativa.

- **Feedback Reattivo:** Monitorare attivamente il feedback e le reazioni degli utenti, essendo pronti ad apportare modifiche proattive e a rispondere in modo costruttivo alle critiche.
- **Trend Watching:** Rimane essenziale essere sempre sull'onda delle tendenze emergenti, capitalizzando su meme, movimenti culturali e innovazioni tecniche per mantenere la rilevanza e l'interesse.

## Etica e Trasparenza

Il rispetto della privacy degli utenti e un impegno verso la trasparenza e l'etica nella pubblicità digitale sono ormai non solo auspicabili ma attesi dal pubblico.

- **Privacy-Centric:** Essere consapevoli delle normative sulla privacy e assicurare che ogni campagna rispetti pienamente i diritti e le aspettative degli utenti in termini di gestione dei dati.
- **Comunicazione Aperta:** Stabilire un dialogo bidirezionale con il pubblico, comunicando apertamente i valori del brand e stando fermi su questioni etiche e morali.

Esplorando le molteplici dimensioni dell'advertising sui social media, è evidente che ogni campagna è un'entità viva, respirante che necessita di un'attenzione continua e profonda. Ogni momento, messaggio e pixel riflettono non solo il brand ma anche il contesto culturale, etico e sociale in cui opera, richiedendo un'orologiaia precisione, una navigatrice sagacia e un artista sensibilità per veleggiare con successo nelle acque spesso tumultuose del mondo digitale.

In conclusione, l'Advertising sui Social Media rappresenta un tassello imprescindibile nel mosaico delle strategie di marketing digitale di qualsiasi entità, dal piccolo imprenditore all'azienda multinazionale. La creazione e gestione di campagne pubblicitarie richiede una metodologia approfondita, che intreccia competenze tecniche, sensibilità creativa e un'acuta comprensione delle dinamiche sociali e dei comportamenti degli utenti.

**Il Poliedrico Mondo dell'Advertising sui Social Media**

1. **Intraprendenza Creativa:** L'innovazione non sta soltanto nella scintilla creativa iniziale, ma anche nell'abilità di rigenerare continuamente la narrativa del brand, mantenendola fresca, pertinente e autentica.

2. **Analitica Strutturata:** La data-driven decision making non è semplicemente una pratica: diviene una filosofia che permea ogni strato della strategia pubblicitaria, assicurando che ogni passo sia sia ancorato a dati concreti e insights approfonditi.

3. **Connessione Emotiva:** La costruzione di legami emotivi non si limita al primo impatto, ma si estende nel costruire relazioni a lungo termine con il pubblico, nutrendo una comunità e fomentando un senso di appartenenza.

4. **Responsabilità Etica:** Al di là delle leggi e delle normative, esiste una responsabilità intrinseca nel maneggiare con cura e rispetto le informazioni e l'attenzione del pubblico,

incarnando valori che riflettano un'impronta etica e morale solida.

## Una Pratica Incessante di Bilanciamento e Raffinamento

La gestione delle campagne pubblicitarie sui social media non si conclude con il lancio dell'annuncio, ma persiste attraverso l'intero ciclo di vita della campagna. Ogni feedback diventa una preziosa perla di conoscenza, ogni dato un barometro delle prestazioni e ogni interazione un'opportunità per approfondire il legame con l'audience.

## Essere Guida e Ascoltatore

Il brand si posiziona non solo come emittente ma anche come ricevente, stabilendo un dialogo che accoglie, valuta e integra le risposte e le esigenze della sua comunità. Questo dinamismo bidirezionale non solo arricchisce il rapporto con il pubblico ma anche forgia un brand più resiliente, empatico e umano.

## Verso il Futuro dell'Advertising

Guardando avanti, il paesaggio dell'Advertising sui Social Media continuerà a mutare, plasmato dalle evoluzioni tecnologiche, dai cambiamenti culturali e dalle crescenti aspettative del pubblico. Resta imperativo mantenere una postura di apprendimento e adattamento continui, dove le lezioni del presente alimentano le strategie del futuro, e dove il brand e il pubblico coevolvono in un dialogo perpetuo che va oltre il semplice scambio commerciale, navigando assieme nel flusso incessante del digitale.

In questa odissea, il brand non è soltanto un narratore, ma un ente che apprende, che ascolta e che si forma nel tempo e attraverso le iterazioni, definendosi e ridefinendosi nel dialogo continuo con la sua comunità, nel perpetuo danzare delle dinamiche del mercato e nell'incessante esplorare dei nuovi orizzonti del digitale.

12. Analisi delle Metriche • Monitoraggio e interpretazione dei dati.

Nel campo del social media management, l'analisi delle metriche non è solamente un compito tecnicamente indispensabile, ma si rivela una vera e propria arte nella quale i dati vengono esplorati, interpretati e trasformati in azioni concrete e strategie ben delineate. Il monitoraggio e l'interpretazione dei dati consentono ai professionisti del settore di accedere a una vista a 360 gradi sulle prestazioni dei contenuti e delle campagne, nonché sulla percezione e il comportamento dell'audience.

## La Mappa Digitale attraverso i Dati

1. **L'importanza delle Metriche Chiave:** Identificare KPIs (Key Performance Indicators) pertinenti che risonano con gli obiettivi aziendali e di marketing, fornendo così un compasso per navigare attraverso l'oceano di dati disponibili.

2. **Analisi Demografica:** Comprendere chi compone l'audience, delineando caratteristiche demografiche e psicografiche, per poi tessere contenuti e campagne che risuonino autenticamente con i diversi segmenti.

3. **Metriche di Engagement:** Profondizzare l'analisi su likes, condivisioni, commenti e altre forme di interazione, per interpretare non solo la quantità ma anche la qualità dell'engagement dell'audience.

4. **Conversioni e Percorsi Utente:** Tracciare i journey degli utenti, dall'esposizione ai contenuti fino alle conversioni, delineando così i pattern che guidano all'azione desiderata e individuando possibili ostacoli o attriti nel percorso.

## Navigare tra Quantità e Qualità

5. **Il Balance delle Metriche:** Trovare un equilibrio tra metriche quantitative e qualitative, assicurandosi che i numeri siano sempre interpretati alla luce del contesto e che vi sia spazio per comprendere le sfumature delle interazioni umane nel digitale.

6. **Analisi Sentiment:** Oltre ai dati grezzi, l'esplorazione dei sentimenti e delle tonalità delle interazioni e dei feedback diventa cruciale per afferrare il polso dell'opinione dell'audience.

**Strumenti e Tecnologie: Alleati dei Dati**

7. **Utilizzo di Tool Analitici:** Sfruttare al meglio gli strumenti analitici disponibili, da quelli nativi delle piattaforme social a soluzioni terze, per raccogliere, organizzare e analizzare i dati in modo ottimale.

8. **Automazione e Dashboard:** Implementare soluzioni di automazione per il monitoraggio dei dati e costruire dashboard che consentano una lettura intuitiva e tempestiva delle performance.

**Da Dati a Decisioni: La Traduzione Strategica**

9. **Insights Azionabili:** La trasformazione dei dati in insights richiede un processo di analisi che vada oltre la superficie, esplorando correlazioni, cause, e potenziali implicazioni strategiche.

10. **Test e Ottimizzazione:** Utilizzare i dati per ideare test A/B e altri esperimenti che permettano di affinare continuamente le strategie e le tattiche adottate.

**Un Ciclo Virtuoso di Apprendimento e Adattamento**

Ogni ciclo di analisi e implementazione non si conclude mai veramente, ma diventa piuttosto un iterazione in un processo di miglioramento e adattamento continuo. Nell'analisi delle metriche, il Social Media Manager non trova solo numeri, ma storie, lezioni e opportunità, tesse una trama dove dati e umanità si intrecciano, dove la strategia incontra l'empatia e dove ogni numero diventa un piccolo frammento di un racconto più ampio, che il brand e la sua comunità co-costruiscono nel danzare del digitale.

Navigare attraverso l'immensità dei dati nei social media può apparire una missione ciclopica, ma con la giusta lente di ingrandimento, ogni metrica può rivelare particolari interessanti sulla performance delle attività online e sulla natura dell'audience. L'analisi delle metriche è quindi una chiave di volta che connette il mondo virtuale delle interazioni digitali con decisioni strategiche tangibili, gettando luci e ombre sui percorsi intrapresi e quelli futuri.

**La Nuova Era delle Metriche: Oltre i Like**

- **Riconoscere il Contesto:** Nonostante il dato puro possa fornire indicazioni di tendenza, è il suo inserimento in un quadro contestuale che realmente ne valorizza il significato. Ogni piattaforma social ha metriche e dinamiche proprie che vanno interpretate alla luce del proprio ecosistema specifico.

- **Le Metriche Vanity vs. Metriche di Sostanza:** È vitale discernere tra metriche "vanity", che possono gonfiare il senso di successo senza portare reale valore (es. like, follower) e quelle che indicano una reale correlazione con gli obiettivi aziendali (es. lead generati, conversioni).

### Interpretare le Tracce Digitali

- **Analizzare il Comportamento dell'Utente:** Osservare come l'audience si muove all'interno dei percorsi digitali, quali contenuti attirano maggiore attenzione, e quali conversazioni stimolano, può rivelare intuizioni preziose sulle preferenze e le aspettative degli utenti.

- **Ciclo di Vita del Contenuto:** Studiare come i contenuti vivono nel tempo, osservando la loro longevità, la permanenza nell'attenzione del pubblico, e il loro ciclo di virality, può svelare ritmi e cadenze che risuonano con l'audience.

### Trasparenza e Etica nell'Uso dei Dati

- **Privacy e Conformità:** In un'epoca in cui la protezione dei dati e la privacy sono al centro dell'attenzione, garantire che la raccolta e l'analisi dei dati siano conformi alle normative vigenti (come GDPR o CCPA) e trasparenti per gli utenti è fondamentale.

- **Bias e Equità:** Riconoscere e correggere possibili bias nei dati o nell'analisi, assicurando che gli insights generati e le strategie formulate siano inclusive e equitative.

**L'Arte della Narrazione attraverso i Dati**

- **Storytelling dei Dati:** Le cifre prendono vita e significato quando vengono tessute in una narrazione coesa. La capacità di tradurre le metriche in storie che risuonino con stakeholder, team e audience diventa quindi essenziale.

- **Visualizzazione dei Dati:** L'impiego di grafici, dashboard e altre forme di rappresentazione visiva può rendere i dati accessibili e comprensibili a vari livelli dell'organizzazione, facilitando la condivisione di insights e la presa di decisioni.

**Intrecciare la Rete: Connettività dei Dati**

- **Integrare i Dati:** Connettere le metriche dei social media con altri dati aziendali, come quelli delle vendite, del CRM o del servizio clienti, per costruire una visione olistica dell'impatto delle attività sui vari settori dell'azienda.

- **Intersezioni e Correlazioni:** Esplorare come le metriche si influenzano a vicenda, cercando pattern e correlazioni che possano rivelare dinamiche nascoste o opportunità inaspettate. L'analisi delle metriche nei social media è un viaggio intricato e multiforme, un'avventura che va oltre la mera osservazione delle cifre e s'immerge nell'esplorazione delle narrazioni, comportamenti e relazioni umane che queste cifre celano. Si disegna così un ponte tra mondi, dove il digitale e l'umano si incontrano e dialogano, creando un tessuto connettivo denso di significati, sfide e opportunità.

## Analisi delle Metriche: L'osservatorio del Digital Marketer

L'analisi delle metriche non è soltanto un'esplorazione di numeri e percentuali ma rappresenta un autentico viaggio nella psiche e nei comportamenti del pubblico digitale. È una sorta di esplorazione subacquea, immersi nel vasto oceano delle interazioni, delle conversazioni e delle connessioni che le persone stringono nel mondo virtuale dei social media.

- **Metriche e Personalità del Brand:** Le metriche rivelano anche come il brand viene percepito. Ad esempio, le parole chiave e gli hashtag più associati al marchio possono illuminare gli aspetti del brand che maggiormente risuonano con l'audience.

- **Metriche e Customer Journey:** Comprendere il viaggio del cliente attraverso le metriche dei social media è fondamentale. Identificare quali contenuti funzionano meglio in diverse fasi del percorso del cliente (consapevolezza, considerazione, conversione, ecc.) può fornire spunti preziosi per ottimizzare le future campagne.

### Navigare tra Flutti e Correnti Social

- **Analisi della Concorrenza:** Benché ci si focalizzi spesso sui propri dati, osservare le metriche relative ai concorrenti e al settore di appartenenza può rivelare tendenze, sfide e opportunità che altrimenti potrebbero rimanere invisibili.

- **Crisis Management:** L'analisi delle metriche può anche fungere da termometro per monitorare la "salute" del brand in termini di reputazione online, identificando tempestivamente eventuali segnali di crisi e permettendo un intervento proattivo e tempestivo.

### Dall'Analisi alla Strategia: Un Circolo Virtuoso

- **Metriche e Innovazione:** I dati possono evidenziare non solo ciò che funziona ma anche ciò che manca. Ad esempio, se esiste un bisogno o un interesse emergente tra l'audience che non è ancora stato colmato dal brand o dai concorrenti, ciò può rappresentare un'opportunità di innovazione.

- **Metriche e Formazione Continua:** La continua evoluzione delle piattaforme social comporta un costante aggiornamento in termini di metriche disponibili e metodologie di analisi. Pertanto, assicurarsi che il team sia sempre aggiornato su nuovi strumenti e tecniche di analisi è essenziale per mantenere un'efficace strategia di social media marketing.

## Conclusione: Il Mare Infinito delle Opportunità Digitali

Esplorare, interpretare e navigare tra le metriche dei social media è, dunque, una pratica continua e mai conclusa, un processo che si evolve mano a mano che il mare digitale si espande e si trasforma. Ogni ondata di dati può nascondere un tesoro di insights, ogni corrente di interazioni può guidare verso nuove rotte strategiche, e ogni goccia di feedback può alimentare il ciclo vitale del rapporto tra il brand e la sua community. Nell'oceano infinito del digitale, le metriche sono le stelle che guidano i marketer, permettendo loro di navigare con consapevolezza e strategia, alla continua ricerca di quei porti sicuri dove la connessione tra brand e utenti può prosperare e arricchirsi mutualmente. E così, la nave del brand solca il digitale, con lo sguardo fisso sull'orizzonte delle opportunità, pronta a scoprire nuovi mondi e a tessere relazioni sempre più autentiche e durature nel vasto, inesplorato universo dei social media.

Navigando attraverso il vasto oceano delle metriche dei social media, ogni brand, ogni azienda, e ogni social media manager si trovano di fronte a una mole significativa di dati che necessitano non solo di essere scrutati ma, soprattutto, interpretati e tradotti in azioni concrete e strategie ponderate.

## L'Anima Narrativa dei Dati

Le metriche non sono semplicemente numeri freddi, ma racconti, storie che il pubblico ci racconta attraverso le proprie azioni, interazioni, pause e accelerazioni all'interno del palcoscenico digitale. Comprendere veramente le metriche implica l'abilità di vedere oltre i numeri e intravedere le storie, gli archi narrativi che si celano dietro i dati: perché un contenuto ha funzionato così bene? Cosa ha spinto gli utenti a condividere quel particolare post? Perché un certo tipo di contenuto genera più coinvolgimento in un determinato momento della giornata o della settimana?

## L'Etica della Misurazione

Inoltre, nell'era del data-driven marketing, è essenziale affrontare la questione dell'etica della misurazione. Avere il potere di analizzare i dati comportamentali degli utenti implica una grande responsabilità in termini di privacy e utilizzo consapevole e trasparente dei dati. Adottare un approccio etico alla raccolta e all'analisi dei dati significa non solo conformarsi alle leggi e alle normative vigenti ma anche costruire e nutrire un rapporto di fiducia con l'audience, mostrando rispetto per la sua privacy e per i suoi dati.

## Metriche Come Bussola Strategica

Dunque, in conclusione, l'analisi delle metriche non si esaurisce nel momento in cui si raccolgono e si interpretano i dati. Essa trova la sua reale finalizzazione quando quei dati vengono tradotti in conoscenza approfondita, in comprensione delle dinamiche sottostanti, e diventano la linfa vitale da cui si nutre la strategia di social media marketing, plasmandola, guidandola, e consentendole di evolvere in modo elastico in risposta ai cambiamenti del paesaggio digitale e delle preferenze del pubblico.

## Verso il Futuro: L'Evolutività delle Metriche

È fondamentale riconoscere anche che le metriche e gli strumenti per analizzarle sono in continua evoluzione, adattandosi ai cambiamenti delle piattaforme e delle dinamiche di interazione degli utenti. Di conseguenza, la competenza nell'analisi delle metriche comporta una continua curva di apprendimento e aggiornamento, una sottoscrizione a un impegno di formazione e adattamento costante per rimanere sempre un passo avanti nel dinamico e veloce mondo dei social media.

## La Sinfonia delle Analisi in Tempo Reale

Inoltre, l'analisi delle metriche abbraccia anche la competenza nell'utilizzo delle analisi in tempo reale durante eventi live, lanci di prodotti, o campagne speciali, per poter modulare e, se necessario, correggere il tiro delle azioni di marketing in itinere, sfruttando la potenza delle interazioni in tempo reale e delle reazioni istantanee della community.

**In Breve**

L'analisi delle metriche è un faro, una bussola, e allo stesso tempo un dialogo aperto e continuo con l'audience, un dialogo fatto non di parole, ma di comportamenti, interazioni, e feedback impliciti, che solo un orecchio attentamente allenato può veramente comprendere e tradurre in strategie efficaci e relazioni autentiche e durature.

Ogni metrica, ogni dato, ogni numero racchiude in sé un potenziale inesplorato che, se adeguatamente interpretato e canalizzato, può traghettare il brand verso lidi sempre nuovi e sorprendenti, in un viaggio di scoperta e costruzione continua nel vibrante universo dei social media.

13. Gestione delle Crisi • Come affrontare problemi e criticità online.

La gestione delle crisi online è un aspetto cruciale della comunicazione digitale per qualsiasi brand o azienda. La presenza sui social media e sulle piattaforme online espone infatti a rischi potenziali legati a feedback negativi, critiche, problematiche tecniche o errori che possono escalare in veri e propri incidenti di reputazione se non gestiti con attenzione e strategia. Esploriamo quindi alcune sfaccettature di questo aspetto.

## 1. Anticipare per Non Subire
La preparazione è chiave quando si tratta di gestione delle crisi. Anticipare potenziali criticità, identificando in anticipo possibili punti di vulnerabilità, può permettere di sviluppare protocolli di intervento efficaci e tempestivi. Sviluppare scenari ipotetici di crisi e relative risposte strategiche aiuta a non farsi trovare impreparati quando un problema emerge.

## 2. Team Specializzato
Disporre di un team specializzato, formato per gestire le situazioni di crisi, è essenziale per poter affrontare con efficacia e rapidità le problematiche che emergono online. Il team deve essere in grado di valutare la gravità della situazione, identificare le azioni necessarie e

comunicare in modo chiaro e coerente con i valori del brand.

### 3. Comunicazione Chiara e Onesta

In momenti di crisi, la chiarezza e l'onestà della comunicazione diventano pivotali. Rispondere con trasparenza, ammettendo errori se presenti e fornendo informazioni chiare su come l'azienda intende risolvere la situazione, è fondamentale per mantenere la fiducia del pubblico.

### 4. Monitoraggio Continuo

Un occhio sempre attento su ciò che viene detto online riguardo al brand è essenziale per identificare tempestivamente potenziali focolai di crisi e intervenire prontamente prima che la situazione possa degenerare.

### 5. Gestione dei Canali

Identificare e utilizzare in modo efficace i canali di comunicazione più appropriati per rispondere alla crisi è vitale. Ogni piattaforma ha sue specificità e richiede un approccio comunicativo calibrato.

### 6. Empatia ed Emozionalità

Gestire le emozioni e mostrare empatia nei confronti degli utenti o dei clienti coinvolti nella crisi è vitale. La crisi deve essere affrontata non solo con una logica razionale e operativa ma anche con un'attenzione all'aspetto umano ed emotivo della comunicazione.

## 7. Case History

Analizzare casi di crisi passati, sia interni che esterni all'azienda, permette di apprendere da errori e successi altrui, affinando le proprie strategie e anticipando potenziali rischi e soluzioni.

## 8. Post-Crisi

Un'analisi accurata della gestione della crisi, una volta che questa è stata risolta, è fondamentale per comprendere cosa ha funzionato, cosa no e per implementare miglioramenti futuri.

In conclusione, la gestione delle crisi online non è un'opzione ma una necessità ineludibile nella realtà digitale odierna. Essa richiede preparazione, attenzione, rapidità e soprattutto una grande capacità di comunicazione e interazione con il pubblico, che sempre più richiede trasparenza, onestà e coerenza da parte dei brand con cui interagisce e a cui affida la propria fiducia e le proprie risorse. La crisi diventa così non solo un rischio ma anche un'opportunità: un'occasione per mostrare il proprio impegno, la propria affidabilità e la propria umanità anche nei momenti di difficoltà.

Sicuramente, parlando di gestione delle crisi nel contesto dei social media, il valore delle relazioni e della reputazione aziendale riveste un ruolo di primo piano. Un'azienda che investe tempo e risorse nell'instaurare un rapporto solido e positivo con la propria clientela, o potenziale tale, può contare su una base di fiducia che può rivelarsi un salvagente nei momenti critici. La gestione della reputazione, in particolare, non si limita solo a momenti di crisi, ma è un'attività continua e proattiva che coinvolge ascolto attivo del pubblico, partecipazione alle conversazioni online e costruzione di relazioni significative con i propri interlocutori.

Inoltre, non bisogna dimenticare l'importanza dell'aspetto legale e normativo. Le crisi online possono spesso avere implicazioni legali e, pertanto, ogni strategia di gestione della crisi dovrebbe essere sviluppata e attuata in stretta collaborazione con esperti legali. Ad esempio, è cruciale che i messaggi e le comunicazioni pubbliche durante una crisi siano accuratamente rivisti per evitare possibili complicazioni legali. Ogni risposta e ogni azione dovrebbero essere ponderate e misurate, considerando non solo l'impatto immediato, ma anche le possibili ripercussioni future. Anche quando la tempesta sembra essersi calmata, le parole e le azioni di un'azienda restano online, disponibili per essere scrutinate, analizzate e, in alcuni casi, utilizzate contro di essa.

A questo punto, la gestione delle crisi online va anche considerata come parte integrante della cultura aziendale. La formazione continua e specifica per tutti i membri del team, non solo per quelli direttamente coinvolti nella comunicazione di crisi, è essenziale per garantire che tutti siano sulla stessa lunghezza d'onda riguardo a come gestire situazioni delicate e potenzialmente dannose.

In una situazione di crisi, la rapidità è spesso essenziale. Il tempismo della comunicazione può fare la differenza tra una crisi contenuta e una che esplode, diventando virale e sfuggendo al controllo. Essere pronti a rispondere, con messaggi preparati in anticipo e con un piano d'azione chiaro, è fondamentale per affrontare in modo efficace le situazioni di crisi.

Tuttavia, questa velocità non deve sacrificare l'accuratezza o la veridicità delle comunicazioni. Condividere informazioni non accurate o incomplete può danneggiare la credibilità dell'azienda e peggiorare la crisi.

La personalizzazione e l'umanizzazione della comunicazione è un altro aspetto da non sottovalutare. Gli utenti, soprattutto nei momenti di tensione o insoddisfazione, desiderano sentirsi ascoltati e valorizzati. Pertanto, le risposte standardizzate o percepite come non autentiche possono inasprire ulteriormente gli animi.

Infine, bisogna anche guardare al futuro. Ogni crisi porta con sé insegnamenti preziosi che possono essere utilizzati per rafforzare ulteriormente le strategie di prevenzione e intervento. L'analisi retrospettiva e l'audit delle performance sono fasi che non vanno mai trascurate. Concludendo, la gestione delle crisi si evolve in continuo, richiedendo un adattamento costante alle nuove dinamiche dei social media e delle piattaforme online, ed è per questo che un'azienda deve rimanere sempre vigile e pronta ad adattarsi a nuove sfide e nuovi scenari.

Nella gestione delle crisi, l'aspetto emotivo e psicologico del pubblico e dei membri dell'organizzazione non può essere trascurato. Sia i clienti che il team interno possono vivere la crisi con stress, confusione e frustrazione. La risonanza emotiva di un'azienda nei momenti di difficoltà è spesso un indicatore della sua intelligenza emotiva e della sua capacità di gestire situazioni sotto pressione in modo umano e empatico. E qui interviene la necessità di comunicare in modo chiaro e rassicurante, senza alimentare ulteriori tensioni o speculazioni. Quando ci si imbatte in una crisi, le squadre di gestione devono saper dimostrare empatia verso i clienti, gli stakeholder e anche i propri dipendenti. Il tono utilizzato nei comunicati e nelle risposte dovrebbe essere attentamente calibrato per trasmettere comprensione e serieta'. E ciò è ancor più valido quando ci si trova davanti a una crisi che ha ripercussioni dirette sui clienti o utenti finali.

È interessante osservare come la gestione delle crisi sui social media si sia evoluta nel tempo. All'inizio, quando i social media erano relativamente nuovi, le aziende erano meno preparate e spesso venivano sorprese dalle crisi online. Col passare del tempo, le aziende hanno imparato (spesso a proprie spese) l'importanza di monitorare attentamente le loro piattaforme social e di avere piani di risposta alle crisi pronti per l'uso.

Altra nota fondamentale è la transparenza. La coerenza e l'onestà durante una crisi sono essenziali per mantenere o recuperare la fiducia del pubblico. I tentativi di occultare la verità o di manipolare l'informazione possono facilmente ritorcersi contro, specialmente nell'epoca dei social media, dove le informazioni possono diffondersi rapidamente e ampiamente.

In un'epoca dove l'accesso a un'infinità di strumenti digitali è alla portata di tutti, una gestione accorta delle crisi implica anche l'uso di strumenti e piattaforme che permettano di mantenere le comunicazioni sotto controllo. Utilizzare piattaforme di gestione delle relazioni con i clienti (CRM), strumenti di monitoraggio dei social media e piattaforme di comunicazione interna per mantenere tutti i membri del team allineati è fondamentale.

Anche l'approccio post-crisi è cruciale. Dopo che una crisi è stata risolta o gestita, un'analisi approfondita di ciò che è successo, dei tempi di risposta e delle tattiche utilizzate per risolverla fornisce insight preziosi per prevenire o gestire meglio situazioni simili in futuro. Questa fase di revisione e riflessione dovrebbe essere considerata come un'opportunità di apprendimento e crescita per l'intera organizzazione.

Inoltre, un piano di recupero e riparazione dell'immagine aziendale post-crisi è altrettanto essenziale. Ciò potrebbe includere campagne positive, iniziative CSR (Corporate Social Responsibility) e altre attività volte a migliorare l'immagine pubblica dell'azienda e a ricostruire la fiducia con il pubblico e gli stakeholder.

In sintesi, ogni crisi, con le sue specificità e sfide, deve essere gestita con un mix bilanciato di prontezza, empatia, trasparenza e strategia, sempre mantenendo il focus sull'essere autentici e coerenti con i valori e la missione aziendale, per navigare attraverso la tempesta e, possibilmente, emergere più forti e preparati per il futuro.

In conclusione, la gestione delle crisi nel contesto dei social media, avvolge in sé una moltitudine di sfaccettature, ciascuna delle quali richiede una considerazione e un'analisi accurata. L'intero processo di gestione delle crisi, dalla prevenzione alla risposta e alla ricostruzione post-crisi, deve essere considerato un ciclo continuo e non un'attività discreta. Questo perché le lezioni apprese da ogni crisi dovrebbero essere integrate nei piani futuri, rendendo l'organizzazione più resiliente e preparata per affrontare le sfide emergenti.

A livello operativo, è fondamentale creare un protocollo che determini le modalità di risposta alle crisi attraverso un dettagliato piano di gestione delle crisi sui social media. Il piano dovrebbe includere:

- **Identificazione e formazione del team di crisi**: Definire chi farà parte del team di crisi e assicurarsi che ricevano una formazione adeguata.
- **Flussi di comunicazione chiari**: Stabilire chi comunicherà cosa, a chi e quando durante una crisi.
- **Procedure operative**: Dettagli su come identificare una crisi, comunicare con il pubblico e gli stakeholder, e valutare quando la crisi è stata risolta.

- **Piano di comunicazione**: Avere una bozza di comunicati stampa, post sui social media e risposte alle FAQ pronte per essere adattate in base alla natura specifica della crisi.

Un elemento chiave in tutto questo è la prevenzione. L'analisi proattiva delle vulnerabilità e dei potenziali punti di crisi permette alle organizzazioni di identificare i punti deboli che potrebbero essere sfruttati o degenerare in crisi se non gestiti correttamente. Oltre all'analisi delle vulnerabilità, la creazione di un manuale di gestione delle crisi, che può fungere da guida pratica in caso di problemi, è fondamentale per garantire che la risposta sia tanto tempestiva quanto efficace.

Tuttavia, è fondamentale riconoscere che non esiste un approccio "taglia unica" per gestire le crisi sui social media. Ogni crisi è unica e richiede una risposta misurata e adatta al contesto specifico. Ciò significa che l'applicazione flessibile dei principi di gestione delle crisi, piuttosto che l'aderenza rigida a un set di regole, è spesso la chiave per navigare con successo attraverso gli ostacoli e le sfide presentate da una crisi.

Ricordare, infine, che ogni crisi offre l'opportunità di apprendere e migliorare. Post-crisi, l'analisi retrospettiva e l'audit delle azioni intraprese sono fasi imprescindibili. Esaminare cosa ha funzionato, cosa no, e perché, permette di fortificare ulteriormente le strategie di prevenzione e risposta alle crisi future, garantendo che l'organizzazione emerga più forte e più resistente da ogni sfida incontrata.

La gestione delle crisi, soprattutto in un'epoca digitale e connessa come la nostra, non è mai semplice. Ma, attraverso la preparazione, la comprensione approfondita dei propri pubblici e dei propri canali di comunicazione, e con un atteggiamento che vede la crisi non solo come una minaccia ma anche come un'opportunità di apprendimento e crescita, le organizzazioni possono navigare con sicurezza anche nelle acque più turbolente e, in definitiva, usarle per costruire una nave ancora più robusta e resiliente.


## 14. Leggi e Normative • Conoscenza della legislazione relativa ai social media.

La sezione riguardante "Leggi e Normative" nel contesto dei social media, sottolinea l'importanza dell'adesione e della comprensione delle leggi e delle regole che governano l'uso dei social media per le attività aziendali. L'importanza di questo aspetto non può essere sottovalutata, in quanto la conoscenza e l'adesione a queste leggi non solo evitano potenziali sanzioni legali ma contribuiscono anche a costruire un'immagine aziendale positiva. Diverse aree possono essere incluse in una discussione dettagliata su questo tema:

## 1. Diritto d'Autore e Proprietà Intellettuale

- È fondamentale rispettare le leggi sulla proprietà intellettuale e assicurarsi che tutto il contenuto pubblicato sui profili dei social media dell'azienda sia originale o utilizzato con il permesso del detentore del copyright.

## 2. Protezione dei Dati e Privacy

- La legge sulla protezione dei dati, come il GDPR nell'Unione Europea o il CCPA in California, USA, prescrive come le aziende devono trattare i dati personali raccolti attraverso i loro canali online.

## 3. Pubblicità e Marketing

- Le leggi e le normative relative alla pubblicità e al marketing sui social media devono essere osservate, incluse quelle relative all'uso di influencer, alla pubblicità rivolta ai minori, e alle dichiarazioni fuorvianti o false.

## 4. Diffamazione

- Le aziende devono evitare la pubblicazione di contenuti che potrebbero diffamare individui o altre aziende, garantendo che tutte le affermazioni siano verificabili e veritiere.

### 5. Employer Branding
- Le aziende devono essere consapevoli delle leggi che riguardano ciò che possono e non possono dire sui propri dipendenti e viceversa, specialmente in relazione alle recensioni e alle testimonianze.

### 6. Recensioni e Testimonianze
- Bisogna garantire l'autenticità delle recensioni e delle testimonianze e, in alcuni casi, fornire disclaimers in caso di sponsorizzazioni o partnership.

### 7. Conformità Settoriale
- Alcuni settori, come quello finanziario o sanitario, potrebbero avere normative specifiche per la comunicazione sui social media che devono essere osservate.

Per affrontare questi aspetti cruciali, è essenziale che le aziende si dotino di un team legale o di consulenti che siano esperti nelle leggi e nelle normative relative ai social media, in modo da sviluppare una strategia complessiva di gestione dei social media che sia non solo efficace ma anche conforme.

In aggiunta, è fondamentale che le aziende sviluppino e mantenano politiche sui social media chiare e complete per i propri dipendenti, delineando cosa è e cosa non è accettabile quando si parla dell'azienda online, per proteggere sia l'entità aziendale che i singoli lavoratori.

La conformità legale e normativa nel contesto dei social media non solo serve a minimizzare il rischio di sanzioni ma è anche un'opportunità per le aziende di dimostrare la propria integrità e il proprio impegno nei confronti della trasparenza e della protezione delle parti interessate, consolidando la fiducia con i clienti e i partner.

La conoscenza delle leggi e delle normative che governano l'uso dei social media è un campo profondo e variegato, che copre una vasta gamma di argomenti e aspetti. Procedere oltre, troviamo che esistono diverse sfaccettature e considerazioni secondarie che devono essere prese in account quando si esplora questo argomento.

## Aspetti Etici

Ad esempio, l'etica nei social media è un'area che, sebbene non sempre regolata da leggi specifiche, è strettamente connessa alla reputazione e all'immagine del marchio. Le aziende dovrebbero considerare i loro comportamenti etici online, in termini di chi scelgono di targetizzare con la pubblicità, come rispondono alle crisi e come gestiscono informazioni sensibili o confidenziali.

## Sicurezza dei Dati

La sicurezza dei dati è un altro aspetto critico, specialmente quando si parla di social media, in cui le violazioni dei dati possono avere gravi conseguenze per la privacy dei clienti e la reputazione delle aziende. Avere piani robusti e protocolli di sicurezza dei dati, come la crittografia e l'autenticazione a due fattori, può aiutare a proteggere le informazioni sensibili da possibili minacce.

## L'Uso di Cookies e Tecnologie Simili

Inoltre, l'uso di cookies e tecnologie simili per tracciare l'interazione degli utenti online deve essere conforme alle normative vigenti. È essenziale che le aziende siano trasparenti su come, perché e dove utilizzano i dati raccolti e garantire che gli utenti possano esercitare facilmente i loro diritti, come il diritto alla cancellazione o alla modifica dei dati.

## Gestione dei Contenuti

La gestione dei contenuti, inclusi la moderazione dei commenti, la gestione delle recensioni, e la cura dei contenuti generati dagli utenti, deve essere eseguita in modo che aderisca a principi legali e anche etici. Bisogna fare attenzione per assicurarsi che la moderazione non venga percepita come censura o manipolazione dei punti di vista.

## Leggi Internazionali

Quando si opera a livello internazionale, è anche fondamentale considerare le leggi dei social media specifiche dei vari paesi in cui l'azienda è attiva. Diversi paesi possono avere leggi diverse riguardanti la privacy, la pubblicità e la protezione dei consumatori che potrebbero influenzare la strategia dei social media dell'azienda.

## Responsabilità Sociale

L'aspetto della responsabilità sociale delle aziende nei social media è diventato sempre più preponderante. Questo implica che le aziende debbano esercitare un elevato grado di vigilanza e consapevolezza nel garantire che i loro contenuti, pubblicità e interazioni nei social media siano culturalmente sensibili, inclusivi e privi di pregiudizi.

## Autenticità e Trasparenza

Mantenere un livello di autenticità e trasparenza, specialmente nelle comunicazioni relative a problemi, crisi o errori, è fondamentale per costruire e mantenere la fiducia del pubblico e dei clienti. La chiarezza sulle pratiche aziendali, comprese quelle relative ai social media, può anche servire a proteggere l'azienda da potenziali controversie legali o problemi di reputazione. Questi sono solo alcuni degli ulteriori aspetti e sfaccettature che entrano in gioco quando si discute della legislazione e delle normative dei social media. È un terreno in continua evoluzione, che richiede un monitoraggio continuo e una valutazione delle prassi per assicurarsi che l'approccio dell'azienda sia non solo legale e conforme ma anche etico e in linea con le aspettative del suo pubblico.

In conclusione, navigare attraverso il panorama normativo e legale dei social media è una sfida che richiede una comprensione profonda e una gestione accurata di vari aspetti, dall'etica aziendale alla sicurezza dei dati, dalla gestione dei contenuti alla consapevolezza delle normative internazionali.

**Sintesi degli Aspetti Principali**
1. **Etica e Integrità:**
   - Mantenere l'onestà nelle comunicazioni e pubblicità.
   - Rispettare l'integrità dei contenuti e delle informazioni condivise.
2. **Sicurezza dei Dati:**
   - Assicurare che le misure e le politiche di sicurezza dei dati siano in atto e costantemente aggiornate.
   - Essere trasparenti su come i dati degli utenti vengono utilizzati e protetti.
3.

4. **Utilizzo dei Cookies:**
   - Garantire che l'uso dei cookie e delle tecnologie di tracciamento sia conforme alle leggi sulla privacy e di protezione dei dati applicabili.
   - Fornire opzioni chiare e accessibili per il consenso degli utenti.
5. **Moderazione e Gestione dei Contenuti:**
   - Stabilire linee guida chiare per la moderazione dei contenuti al fine di mantenere un ambiente online sicuro e rispettoso.
   - Monitorare attivamente le piattaforme per evitare la diffusione di contenuti dannosi o ingannevoli.
6. **Legislazione Internazionale:**
   - Essere consapevoli delle leggi e delle regolamentazioni specifiche delle diverse giurisdizioni in cui l'azienda opera.
   - Adattare le strategie di social media in modo che siano conformi alle leggi locali.
7. **Responsabilità Sociale:**
   - Assicurare che la comunicazione e la pubblicità siano culturalmente sensibili e consapevoli.
   - Coinvolgere attivamente la comunità e adottare una posizione chiara su questioni sociali pertinenti quando appropriato.

## 8. Trasparenza:

- Adottare un approccio trasparente nelle pratiche e nelle comunicazioni aziendali.
- Essere aperti e onesti nelle interazioni con i clienti e il pubblico.

**Verso una Gestione Legale Consapevole**

Affrontare questi pilastri con precisione e coerenza porta alla creazione di un brand solidale e rispettoso nei confronti delle norme, contribuendo a costruire una reputazione forte e affidabile. Ogni azienda, indipendentemente dalle dimensioni, deve considerare la conformità legale e normativa come una priorità assoluta nell'ambito della strategia dei social media, dedicando risorse e tempo per garantire che ogni azione e contenuto sia allineato con le leggi e i regolamenti pertinenti. Inoltre, una formazione continua del team responsabile della gestione dei social media, riguardo agli aggiornamenti legislativi e alle best practices del settore, garantirà un approccio sempre aggiornato e adeguato alle dinamiche del panorama digitale. Mentre il digitale continua a evolversi, così fanno le leggi e le normative che lo circondano. Di conseguenza, le aziende devono rimanere agili, adattandosi ai cambiamenti e proattivamente cercando di comprendere e implementare nuove leggi nel loro approccio ai social media, assicurando una presenza online che non solo sia efficace dal punto di vista del marketing ma anche legalmente salda e eticamente integra.

15. Tool e Software • Strumenti utili per il social media manager.

Nella gestione strategica dei social media, il ruolo degli strumenti e del software è fondamentale per ottimizzare, analizzare e potenziare le attività online. Questi strumenti aiutano i social media manager a navigare con efficacia attraverso la pianificazione dei contenuti, l'analisi delle metriche, la gestione della community, e molte altre sfaccettature del marketing sui social media.
**Strumenti per la Pianificazione dei Contenuti**

1. **Hootsuite:**
   - Permette la programmazione dei post su varie piattaforme.
   - Fornisce analisi dettagliate delle prestazioni dei contenuti.
2. **Buffer:**
   - Offre funzionalità per la pianificazione e la pubblicazione dei contenuti.
   - Possiede un'interfaccia intuitiva che facilita la gestione dei post.

3. **Later:**
   - Specializzato nella pianificazione di contenuti Instagram.
   - Offre visualizzazione del calendario dei contenuti e funzionalità di trascinamento per una facile pianificazione.

**Strumenti per l'Analisi delle Metriche**
4. **Google Analytics:**
   - Fornisce insight dettagliati sul traffico web e sul comportamento degli utenti.
   - Aiuta a tracciare le conversioni e l'engagement provenienti dai canali social.

5. **Sprout Social:**
   - Offre analisi approfondite delle prestazioni sui social media.
   - Permette il monitoraggio delle menzioni del brand e la gestione delle interazioni.

**Strumenti per la Creazione di Contenuti**
6. **Canva:**
   - Offre una vasta gamma di template per la creazione di contenuti visivi.
   - Facilita la progettazione di immagini, infografiche e altro senza necessità di competenze grafiche avanzate.

7. **Adobe Spark:**
   - Permette di creare contenuti visivi e video brevi in modo semplice.

- Offre funzionalità per personalizzare immagini e animazioni.

## Strumenti per la Gestione della Community e Servizio Clienti

8. **Zendesk:**
   - Offre soluzioni per gestire il servizio clienti e gli ticket di supporto.
   - Integra funzionalità per gestire le interazioni sui social media.

9. **Brandwatch:**
   - Permette il monitoraggio delle menzioni del brand su internet e sui social media.
   - Aiuta a raccogliere dati e insight sull'immagine del brand online.

## Strumenti per l'Advertising sui Social Media

10. **Facebook Ads Manager:**
    - Fornisce una piattaforma per la creazione e la gestione di annunci su Facebook e Instagram.
    - Offre strumenti analitici per monitorare le prestazioni delle campagne pubblicitarie.

11. **Google Ads:**
    - Permette la gestione di campagne pubblicitarie su Google, YouTube e la rete display di Google.
    - Fornisce strumenti per targetizzare, ottimizzare e analizzare le campagne pubblicitarie.

## Strumenti per il Monitoraggio e la Gestione delle Crisi

12. **Crisp:**

    - Aiuta a monitorare le menzioni e i commenti negativi sui social media e online.
    - Permette una gestione proattiva delle crisi e delle situazioni di emergenza sul brand.

Questi strumenti e software, tra gli altri disponibili sul mercato, offrono un ampio spettro di soluzioni che possono essere utilizzate per diversi aspetti e sfaccettature della gestione dei social media. Scegliere gli strumenti più adatti e integrarli efficacemente nelle strategie di social media non solo automatizza e semplifica numerosi compiti ma migliora anche l'efficacia e l'efficienza delle campagne, contribuendo al raggiungimento degli obiettivi prestabiliti in modo più snello e misurabile.

L'uso di tool e software nel campo del social media management è ampio e variegato, permettendo di gestire diversi aspetti della presenza online, dalla creazione di contenuti alla misurazione delle performance.

## Automazione dei Social Media

Un altro aspetto chiave nell'utilizzo degli strumenti riguarda l'automazione. L'automazione sui social media, infatti, può assumere molteplici forme: può riguardare la pubblicazione di contenuti, ma anche l'interazione con gli utenti. Tools come SocialBee, ad esempio, non solo offrono la possibilità di pianificare i post, ma anche di impostare risposte automatiche a messaggi o commenti. Questa funzionalità può risultare particolarmente utile per gestire le interazioni fuori dall'orario di lavoro o durante i periodi di peak dell'attività.

## Grafica e Multimedialità

Inoltre, ci sono strumenti dedicati alla creazione di GIF e animazioni per i social media, come Giphy, che permette non solo di cercare GIF esistenti, ma anche di crearne di nuove, personalizzate per il proprio brand. Strumenti come Lumen5 o InVideo, invece, facilitano la creazione di video di qualità, senza la necessità di avere competenze specifiche di video editing, a partire da semplici testi o post di blog, aiutando così a trasformare contenuti statici in contenuti dinamici e visivi.

## Gestione delle Campagne

In ambito pubblicitario, alcuni tool consentono di gestire in maniera più specifica le campagne ADV sui social network. AdEspresso, ad esempio, offre funzionalità avanzate per la creazione, la gestione e l'ottimizzazione di campagne pubblicitarie su Facebook, Instagram e Google Ads, permettendo anche di testare vari formati e contenuti per identificare quelli che performano meglio.

## Risorse e Database

Alcuni strumenti permettono di creare vere e proprie biblioteche digitali di contenuti che possono essere utilizzate dai team di social media per accedere a immagini, documenti e altri file di utilità. Tali piattaforme, come Dropbox o Google Drive, facilitano la collaborazione tra i membri del team, che possono condividere e modificare i file in modo efficiente e sincronizzato, anche da remoto.

## Ascolto dei Social Media

L'ascolto dei social media, ovvero il monitoraggio delle conversazioni online riguardanti il proprio brand, settore o concorrenti, è un altro elemento chiave della gestione dei social media. Talkwalker e Brand24 sono esempi di strumenti che permettono di monitorare le menzioni del proprio brand o di specifiche parole chiave su vari canali online, fornendo anche analisi del sentiment e identificando gli utenti influenti.

## Analisi del Comportamento dell'Utente

Strumenti come Hotjar o Crazy Egg offrono funzionalità di heat mapping, che permettono di visualizzare le aree di una pagina web che attirano maggiormente l'attenzione dell'utente, fornendo spunti preziosi per ottimizzare la disposizione dei contenuti e dei CTA sui canali digitali.

## Aggiornamento e Formazione

La formazione continua e l'aggiornamento sono fondamentali per chi opera nel settore dei social media, vista la rapidità con cui evolvono gli algoritmi e le piattaforme. Piattaforme come Udemy, Coursera o LinkedIn Learning offrono corsi specifici su vari aspetti del social media marketing, dalla strategia, alla creazione di contenuti, all'analisi dei dati.

La varietà e la specificità degli strumenti disponibili sono tanto vaste quanto le esigenze dei social media manager: ogni azienda, in base ai propri obiettivi e alla propria strategia, può quindi selezionare il mix di tool che meglio si adatta alle proprie necessità, al fine di automatizzare i processi dove possibile e concentrare le energie umane sugli aspetti strategici e creativi della gestione dei social media.

Eploriamo ulteriormente l'ecosistema degli strumenti a disposizione dei social media manager, il quale, nei suoi molteplici aspetti, spazia tra vari ambiti operativi, dal marketing all'analisi dati, alla creazione di contenuti.

## Strumenti per l'Engagement

Gli strumenti che focalizzano sull'engagement e sulla gestione delle relazioni con gli utenti sono fondamentali in un'ottica di Customer Relationship Management (CRM) applicato ai social media. Plataforme come Agorapulse o Sprout Social, ad esempio, offrono un dashboard unificato dove è possibile visualizzare e gestire le interazioni con gli utenti provenienti da diversi canali social, oltre che programmare i post e analizzare le performance dei contenuti.

## Creazione di Contenuti Interattivi

Uno spazio importante è rappresentato anche dagli strumenti per la creazione di contenuti interattivi. Piattaforme come Outgrow o Apester permettono di creare quiz, sondaggi, e altro contenuto interattivo che può essere facilmente condiviso sui social media per aumentare l'engagement degli utenti e raccogliere dati preziosi.

**Strumenti per l'Analisi del Sentiment**

Anche l'analisi del sentiment gioca un ruolo centrale nella strategia social di un'azienda: capire il modo in cui vengono percepiti i messaggi e, più in generale, la brand reputation, è fondamentale. Tools come Meltwater o Mention possono aiutare a tenere sotto controllo il sentiment legato al brand, monitorando le conversazioni e i commenti relativi in tempo reale.

**Gestione delle Recensioni**

Per quanto riguarda la gestione delle recensioni, strumenti come Trustpilot o ReviewTrackers permettono non solo di monitorare le recensioni lasciate dagli utenti su diversi canali, ma anche di rispondere a esse direttamente dalla piattaforma, permettendo così una gestione centralizzata delle valutazioni e dei feedback.

**Chatbot e Assistenza Clienti**

In ambito assistenza clienti, i chatbot stanno diventando sempre più un elemento chiave nelle strategie di social media management. Strumenti come MobileMonkey o Chatfuel permettono di creare chatbot per Facebook Messenger senza la necessità di avere competenze specifiche in ambito di programmazione, rendendo l'assistenza clienti disponibile 24/7 e automatizzando parte delle interazioni con gli utenti.

## UGC e Influencer Marketing

Piattaforme come TINT o Stackla, invece, focalizzano sulla gestione dell'User Generated Content (UGC), permettendo di aggregare, moderare e condividere contenuti creati dagli utenti e legati al brand. Nel panorama degli influencer marketing, invece, strumenti come BuzzSumo o Traackr permettono di identificare influencer rilevanti per il proprio settore e monitorare le campagne di influencer marketing.

## Reporting e Analisi dei Dati

Il reporting e l'analisi dei dati, infine, sono semplificati da strumenti come Google Analytics, che permette di monitorare le visite al sito web provenienti dai social media, e DashThis, che permette di creare dashboard e report personalizzati unendo dati provenienti da diverse fonti.

Questi sono solo alcuni degli strumenti e delle funzionalità che il mondo del social media management offre e che si adattano a diverse strategie e bisogni. Da sottolineare che il panorama è in continua evoluzione, con nuovi strumenti e funzionalità che vengono regolarmente introdotti per rispondere alle esigenze sempre più specifiche dei professionisti del settore. Un uso oculato e strategico di questi strumenti può significativamente aumentare l'efficacia della presenza sui social media, automatizzando i processi ripetitivi e consentendo di concentrarsi sugli aspetti più strategici e creativi del lavoro.

Concludendo, la selezione e l'utilizzo degli strumenti adeguati nel social media management non è semplicemente una scelta operativa, ma una decisione strategica che incide direttamente sulla capacità dell'azienda di costruire e mantenere relazioni significative con la propria audience, analizzare e comprendere le dinamiche delle interazioni online, e infine, produrre contenuti che siano non solo accattivanti, ma anche in linea con le aspettative e i bisogni del pubblico target.
Uno strumento ben scelto per la gestione dei social media può semplificare il workflow, automatizzare i processi, e offrire insights preziosi che possono guidare le future strategie di marketing. Questo implica che ogni tool deve essere valutato non solo per le sue funzionalità specifiche ma anche per la sua capacità di integrarsi all'interno di un ecosistema di strumenti, garantendo un flusso di lavoro omogeneo e coeso.
Dalla creazione di contenuti all'analisi delle performance, dall'interazione con gli utenti alla gestione delle crisi, la scelta dello strumento giusto dovrebbe sempre essere guidata dalla

chiara comprensione dei propri obiettivi di marketing, delle proprie risorse (sia in termini di budget che di competenze) e delle proprie esigenze specifiche in termini di funzionalità. Risulta, inoltre, fondamentale mantenere un approccio aperto e flessibile verso l'adozione di nuovi strumenti e tecnologie. Il panorama digitale è in continua evoluzione e ciò che è rilevante e utile oggi potrebbe non esserlo domani. Un'azienda, e più nello specifico un social media manager, dovrebbe quindi mantenersi costantemente aggiornata riguardo alle novità del settore, sperimentando e adottando nuovi strumenti quando questi possono offrire opportunità concrete di miglioramento o ottimizzazione delle attività di social media management.

In sintesi, il successo nell'ambito della gestione dei social media si fonda non soltanto sulla capacità di stare al passo con i tempi e di saper navigare tra le numerose piattaforme e strumenti disponibili, ma anche sulla competenza nel saper scegliere e integrare funzionalità e dati in modo da costruire un approccio strategico e tattico che sia veramente efficace nel raggiungere, coinvolgere e convertire l'audience target.

Nella creazione della strategia e nell'implementazione operativa, è quindi vitale un bilanciamento tra tecnologia e strategia, tra dati e creatività, affinché l'utilizzo degli strumenti digitali sia realmente al servizio degli obiettivi aziendali e non diventi un fine in sé stesso. La chiave, infine, sta nell'usare la tecnologia per potenziare e amplificare l'intuizione, la creatività e la strategia umana, costruendo un ponte solido e bidirezionale tra marca e consumatori nell'ecosistema sempre più complesso e sfaccettato dei social media.

16. Case Studies • Analisi di casi di successo e insuccesso.

L'analisi di case studies nel contesto dei social media rappresenta una delle pratiche più proficue per imparare dalle esperienze (sia positive che negative) delle altre aziende o brand. Questo permette di comprendere quali strategie e tattiche hanno funzionato, quali no, e più importante, perché. La disamina approfondita di casi di successo e insuccesso fornisce intuizioni preziose che possono ispirare e informare le proprie strategie di social media marketing.

**Case Studies di Successo:**
L'analisi di un caso di successo dovrebbe concentrarsi sull'indagare come e perché una determinata strategia ha funzionato. È essenziale esplorare non solo i risultati ottenuti ma anche le tattiche implementate, le sfide affrontate e come

sono state superate, e le lezioni apprese durante il processo.

Esempio concreto potrebbe essere la celebre campagna "Share a Coke" di Coca-Cola, che ha personalizzato le etichette delle bottiglie con i nomi delle persone, incoraggiando gli utenti a condividere la bevanda (e, naturalmente, la loro esperienza sui social media) con gli amici. Questa campagna ha ottenuto un enorme successo grazie alla sua capacità di creare una connessione personale con i consumatori e stimolare la condivisione sui social media.

**Case Studies di Insuccesso:**

Allo stesso modo, gli studi sui casi di insuccesso possono offrire spunti su ciò che può andare storto e come evitarlo. Le cause di un fallimento potrebbero risiedere in una comunicazione inefficace, in una cattiva gestione delle crisi, in un'interpretazione errata dell'audience o in una scelta di contenuti e piattaforme inadatta.

Un esempio noto di insuccesso è stato il tentativo di McDonald's di avviare la campagna hashtag "#McDStories", che è rapidamente degenerata quando gli utenti hanno iniziato a condividere esperienze negative con il brand utilizzando lo stesso hashtag. Ciò sottolinea l'importanza di valutare attentamente i possibili rischi e di preparare piani di contingenza per gestire potenziali crisi.

## Componenti Chiave di un'Analisi di Case Study:

1. **Obiettivi**: Quali erano gli obiettivi aziendali e di marketing della campagna?
2. **Strategie e Tattiche**: Quali strategie e tattiche sono state implementate per raggiungere questi obiettivi?
3. **Risultati**: Quali sono stati i risultati ottenuti? In che modo hanno riflettuto (o no) gli obiettivi prestabiliti?
4. **Sfide e Ostacoli**: Quali sfide e ostacoli l'azienda ha dovuto affrontare durante la campagna?
5. **Lezioni Apprese**: Cosa ha imparato il brand dalla campagna e come questi apprendimenti possono essere applicati in futuro?
6. **Miglioramenti e Ottimizzazioni**: Quali sono le opportunità di miglioramento e come possono essere implementate le ottimizzazioni in futuro? Attraverso un esame dettagliato dei case studies, un brand può guadagnare insights preziosi che possono ispirare, guidare e ottimizzare le future iniziative di social media marketing, imparando non solo dai propri errori ma anche da quelli degli altri, così come identificando le best practices che possono essere adattate e adottate nel proprio contesto.

I case studies possono assumere forme e formati diversi, e una panoramica più ampia di questo punto potrebbe considerare anche gli elementi collaterali che sono essenziali nella formazione di una campagna di social media.

Un aspetto cruciale che potrebbe emergere da un case study potrebbe riguardare l'uso delle metriche e dell'analisi dei dati. Ad esempio, uno sguardo approfondito su come un brand ha utilizzato le metriche per guidare, adattare e ottimizzare la loro campagna in tempo reale potrebbe offrire una visione preziosa sull'importanza del data-driven decision making nel marketing dei social media.

Nel dettaglio, un'azienda potrebbe condividere come ha usato i dati demografici dell'utente, le metriche di coinvolgimento e altri KPIs per identificare quali contenuti erano più risonanti con il loro pubblico e quindi, regolare la loro strategia di contenuto di conseguenza.

Analizzando il percorso del cliente e i dati delle conversioni, il brand potrebbe inoltre determinare quali piattaforme e quali tipi di contenuti erano più efficaci nel guidare gli utenti attraverso il funnel di vendita.

Un altro aspetto che può essere ulteriormente esplorato è il ruolo dell'innovazione e della creatività nei social media marketing. Un caso di studio può illustrare come un'azienda ha pensato "fuori dagli schemi" per creare contenuti unici e coinvolgenti che hanno catturato l'attenzione del pubblico e hanno guadagnato visibilità organica attraverso la condivisione e l'interazione degli utenti. Questo potrebbe spaziare dall'uso innovativo delle tecnologie, come la realtà aumentata o i filtri personalizzati, all'esplorazione di nuovi formati di contenuto o all'utilizzo creativo delle piattaforme esistenti. Considerando anche l'aspetto della resilienza e dell'adattabilità, un caso di studio può svelare come un'azienda ha affrontato e superato gli ostacoli imprevisti durante una campagna di social media. Ciò potrebbe includere sfide quali cambiamenti nei comportamenti degli utenti, aggiornamenti dell'algoritmo delle piattaforme social, o crisi esterne (come la pandemia globale) che hanno richiesto un rapido cambiamento di strategia. Comprendere come i brand navigano attraverso queste sfide può offrire lezioni vitali su come rimanere flessibili e resilienti in un ambiente di marketing digitale in continua evoluzione.

Da un punto di vista della gestione delle relazioni con i clienti e dell'engagement del pubblico, i case studies possono esplorare come i brand utilizzano i social media per costruire e nutrire le relazioni con i loro seguaci. Ciò potrebbe comportare analizzare le tattiche per stimolare l'interazione, come concorsi, sondaggi e AMA (Ask Me Anything), nonché strategie per gestire feedback e recensioni, sia positivi che negativi. Analizzare come un brand ha gestito le crisi di reputazione online o ha trasformato un feedback negativo in un'opportunità positiva può fornire spunti preziosi per la gestione delle relazioni con i clienti nel mondo digitale.

Inoltre, esplorare come i brand bilanciano e integrano le loro strategie di social media con altre iniziative di marketing digitale, come il SEO, il content marketing, e il marketing per e-mail, potrebbe fornire indicazioni su come creare una strategia di marketing digitale più olistica e coerente.

Tutti questi sono aspetti multifaccettati dei case studies che offrono una visione amplificata e multidimensionale dell'efficacia, delle sfide e delle opportunità nel marketing sui social media, fungendo da illuminatori percorsi di apprendimento e crescita per altri marketer e brand che si avventurano nel paesaggio digitale dinamico e sempre in evoluzione.

I case studies, come menzionato, svolgono un ruolo educativo e informativo cruciale nel campo del marketing sui social media, e ampliando ulteriormente il punto, possono essere considerati anche come strumenti di narrazione che descrivono sia le strategie vincenti che quelle meno efficaci in maniera esaustiva e dettagliata. Al di là della mera descrizione delle attività di marketing e dei risultati ottenuti, i case studies permettono di addentrarsi negli aspetti psicologici e comportamentali dell'audience di riferimento. Ciò significa esaminare come diversi gruppi target reagiscono a varie tipologie di contenuti, messaggi o call-to-action. Un case study efficace può rivelare intuizioni significative riguardo alle preferenze del pubblico, motivazioni d'acquisto, percorsi di navigazione online e punti di dolore che possono essere successivamente utilizzati per rifinire ulteriormente le future strategie di marketing. Considerando anche la dimensione tecnologica, i case studies possono offrire una lente d'ingrandimento sulle piattaforme e gli strumenti utilizzati per implementare e monitorare le campagne. Questo include l'uso di piattaforme di advertising pay-per-click, strumenti di monitoraggio e analisi dei dati, software di gestione dei contenuti e soluzioni per la gestione delle relazioni con i clienti. La dettagliata esplorazione di come le tecnologie sono state impiegate per raggiungere e superare gli obiettivi può servire come un manuale pratica per altri marketer e brand che cercano di navigare nel panorama tecnologico del marketing digitale.

Dal punto di vista delle alleanze e collaborazioni, i case studies possono rivelare la dinamica e l'efficacia delle partnership tra brand e influencer o altre aziende. Ciò potrebbe coinvolgere un'analisi delle strategie usate per identificare, raggiungere e costruire relazioni con gli influencer, nonché esplorare come queste collaborazioni sono state strutturate e gestite per creare un beneficio mutuo. Guardare da vicino come le alleanze sono state utilizzate per ampliare la reach, migliorare l'engagement e aumentare la credibilità potrebbe illuminare le potenzialità e le trappole delle partnership nel marketing sui social media.

Riflettendo su un'ottica globale, un case study potrebbe anche indagare come le strategie e i contenuti sono stati adattati per differenti mercati e culture. L'adattamento culturale e linguistico dei contenuti, la comprensione delle norme e dei valori culturali, e la conoscenza delle tendenze e dei comportamenti locali dei consumatori sono fattori essenziali per il successo del marketing globale. Un esame approfondito di come un brand ha negoziato queste sfide in differenti contesti culturali e geografici potrebbe fornire un quadro prezioso sulle complessità e le ricompense del marketing internazionale.

La sostenibilità e la responsabilità sociale sono ulteriori dimensioni che possono essere esplorate attraverso i case studies. Comprendere come i brand navigano nell'intersezione tra marketing, etica e responsabilità sociale può offrire una guida per le aziende che cercano di bilanciare gli obiettivi commerciali con l'impegno nei confronti di valori sociali e ambientali più ampi. Gli studi potrebbero mettere in luce come le pratiche sostenibili o le iniziative sociali sono state comunicate e percepite dal pubblico, offrendo spunti sul ruolo del marketing sociale nella costruzione dell'immagine e della reputazione del brand.

Continuando ad esplorare la multiformità dei case studies, si può considerare anche il modo in cui questi sono presentati e condivisi con il pubblico. I formati variano da articoli dettagliati a video, webinar, e persino podcast, ognuno dei quali offre un modo unico di raccontare la storia e condividere gli apprendimenti chiave. La modalità di presentazione di un case study non è solo un veicolo per trasmettere informazioni, ma è anche un elemento che incide sulla facilità di comprensione e sull'engagement del pubblico.

Pertanto, analizzare e comprendere come differenti formati e canali possono essere utilizzati per presentare efficacemente i case studies può arricchire la capacità di un brand di condividere le proprie storie e ispirare altri nel campo del marketing sui social media.

In ogni singolo dettaglio, i case studies agiscono come potenti strumenti di apprendimento e sorgenti inesauribili di ispirazione, che navigano attraverso diverse sfaccettature e dimensioni del marketing sui social media, offrendo agli addetti ai lavori la possibilità di apprendere, adattare e innovare nel loro unico contesto commerciale e di marketing.

Per concludere il punto in modo esaustivo riguardo all'importanza e all'uso dei case studies nel campo del marketing sui social media, è fondamentale sottolineare che queste analisi di casi di successo o insuccesso non sono solo una risorsa informativa, ma un veicolo attraverso il quale le aziende e i professionisti del marketing possono ricavare insegnamenti concreti, individuando opportunità di miglioramento e affinando le proprie strategie e tattiche.

La metodologia dei case studies, che implica un'analisi approfondita e spesso qualitativa, si focalizza sulla narrazione di eventi, strategie e risultati, fornendo un contesto ricco per comprendere non solo cosa è stato fatto, ma anche come, perché e con quali esiti. Questa forma di studio consente di esplorare in profondità le dinamiche di una campagna di marketing, dal concepimento alla realizzazione e valutazione, offrendo spunti che vanno oltre i dati numerici e che possono aiutare a comprendere le sfumature e i contesti specifici che hanno contribuito al successo o al fallimento delle iniziative analizzate.

Per sfruttare appieno i case studies, è cruciale adottare un approccio analitico e critico. Ciò significa non solo esaminare le tattiche e le strategie utilizzate ma anche contestualizzare i risultati all'interno di un quadro più ampio che tenga conto delle condizioni di mercato, delle tendenze del settore e dei fattori socio-culturali che potrebbero aver influenzato gli esiti delle campagne. Questa analisi consente di trarre insegnamenti più profondi e di applicare tali conoscenze in modo più mirato e strategico nelle future iniziative di marketing.

Inoltre, i case studies dovrebbero essere utilizzati per stimolare il pensiero critico e la riflessione all'interno delle squadre di marketing. Ciò può implicare la realizzazione di sessioni di brainstorming o workshop per discutere i risultati, condividere opinioni e ideare come le lezioni apprese possano essere applicate nei propri contesti lavorativi. In questo modo, i case studies non rimangono semplicemente documenti informativi, ma diventano strumenti attivi per la generazione di idee e l'innovazione strategica.

La condivisione dei case studies con un pubblico più ampio, che può includere clienti, partner e altri stakeholder, può anche servire come mezzo per dimostrare l'expertise di un'azienda e la sua dedizione a pratiche di marketing efficaci e basate sui dati. Ciò può non solo rafforzare la reputazione e la credibilità di un'organizzazione ma anche fornire un valore aggiunto alla community più ampia, contribuendo a elevare le pratiche del settore e a stimolare discussioni costruttive e condivisione di conoscenze.

In ultima analisi, i case studies nel marketing sui social media servono come ponti tra la teoria e la pratica, offrendo una visuale chiara e dettagliata di come le strategie e le tattiche si traducano in azioni e risultati reali. Che si tratti di esaminare un trionfo straordinario o un ostacolo significativo, i case studies illuminano il percorso attraverso il quale le idee si traducono in realtà, fornendo agli addetti ai lavori una guida preziosa per navigare nel complesso e dinamico mondo del marketing digitale. Essi sono, in sostanza, una coniugazione di conoscenze, rivelazioni e stimoli che, se utilizzati saggiamente, possono alimentare l'innovazione e la crescita sostenibile nel campo del marketing sui social media.

17. Sviluppo Professionale • Crescita e formazione continua nel campo.

Il punto riguardante lo "Sviluppo Professionale", in particolare la crescita e formazione continua nel campo del social media management e marketing, è fondamentale per rimanere rilevanti e competitivi nel mercato in continua evoluzione. In un'epoca in cui le piattaforme social, gli algoritmi, e le preferenze del pubblico sono in costante cambiamento, l'adattabilità e l'apprendimento continuo sono diventati aspetti cruciali per chi lavora nel settore.
La crescente digitalizzazione e l'evoluzione delle tecnologie, abbinata all'emergere di nuove piattaforme social e di innovative forme di contenuto, creano un panorama dinamico e talvolta imprevedibile. Di conseguenza, i professionisti del marketing sui social media si trovano a dover navigare attraverso sfide e opportunità emergenti, richiedendo un impegno costante verso lo sviluppo delle proprie competenze e conoscenze.
Lo sviluppo professionale nel campo del social media marketing può assumere molteplici forme e percorso, inclusi, ma non limitati a:

- **Formazione Formale**: Attraverso corsi di certificazione, master o workshop specialistici offerti da istituzioni accademiche o organizzazioni riconosciute nel settore.
- **Webinar e Seminari Online**: Partecipare a eventi virtuali organizzati da esperti del settore o da piattaforme social per rimanere aggiornati su nuove funzionalità, strumenti e best practice.
- **Eventi di Networking e Conferenze**: Assicurare la presenza a eventi del settore per connettersi con altri professionisti, condividere esperienze e imparare da case study e discussioni panel.
- **Risorse Online**: Sfruttare blog, forum, podcast e altri contenuti online per rimanere informati sulle ultime tendenze, strategie e strumenti nel marketing sui social media.
- **Gruppi e Community**: Unirsi a gruppi e comunità di professionisti dei social media per condividere conoscenze, risolvere dubbi e rimanere aggiornati su notizie e aggiornamenti del settore.
- **Utilizzo Pratico**: Esplorare e sperimentare con nuove piattaforme, strumenti e tattiche per acquisire una comprensione pratica delle potenzialità e delle sfide che presentano.
- **Collaborazioni e Partnership**: Collaborare con altri esperti del settore o cross-funzionali per

ampliare la propria prospettiva e competenze attraverso lo scambio di conoscenze e esperienze. La creazione di un piano di sviluppo professionale su misura, che includa obiettivi chiari, risorse allocate e metriche di valutazione, può fungere da guida attraverso il percorso di crescita continua. Ciò non solo potenzia le competenze individuali ma contribuisce anche al miglioramento delle prestazioni dell'organizzazione, dato che i nuovi apprendimenti e competenze acquisite vengono applicati pratica.

L'impegno verso lo sviluppo professionale non dovrebbe essere visto come un compito accessorio, ma piuttosto come un componente essenziale del ruolo di un professionista dei social media. È questo continuo impegno verso l'apprendimento e l'adattabilità che non solo salvaguarda la rilevanza e l'efficacia professionale in un campo tanto mutevole, ma consente anche di guidare l'innovazione e lo sviluppo all'interno delle organizzazioni e del settore nel suo complesso.

Nell'ambito dello sviluppo professionale, diventa particolarmente rilevante anche l'aspetto legato allo sviluppo delle "soft skills" che, accanto alle competenze tecniche, giocano un ruolo fondamentale nel determinare il successo di un professionista dei social media. In un contesto in cui la tecnologia e gli strumenti possono evolvere rapidamente, le capacità interpersonali e trasversali rimangono un pilastro fondamentale per interagire efficacemente con i team, comprendere le esigenze del pubblico e navigare attraverso la complessità delle dinamiche dei social media.

Ad esempio, la **comunicazione efficace** è un aspetto chiave, necessario non solo per creare contenuti coinvolgenti ma anche per interagire con i colleghi, collaboratori, e clienti, garantendo che le strategie e le idee siano comprese e implementate correttamente.

L'**intelligenza emotiva**, invece, è fondamentale per comprendere e connettersi con il pubblico dei social media, capire le loro esigenze, rispondere alle loro preoccupazioni e costruire una comunità online positiva e coinvolgente.

La **creatività**, ancora, non si limita solo all'ideazione di contenuti, ma si estende anche alla risoluzione dei problemi e alla capacità di ideare nuove strategie e approcci che mantengano la freschezza e l'interesse del brand nell'ambiente digital.

Non meno importante, la **gestione dello stress** e la **resilienza** sono essenziali in un campo in cui le cose cambiano rapidamente e dove la gestione di crisi può diventare parte del quotidiano.

Inoltre, è necessario parlare di **etica professionale**, un altro elemento critico nel campo del social media marketing. Con l'evoluzione delle piattaforme digitali e la facilità con cui le informazioni possono essere condivise e manipolate, un social media manager deve essere equipaggiato con una solida comprensione delle questioni etiche e legali relative all'uso dei dati, alla privacy, alla trasparenza e all'autenticità.

E, parlando di **apprendimento autonomo**, è fondamentale ricordare che il social media manager, così come altri professionisti nell'ambito del digital marketing, deve sviluppare una forte propensione verso la ricerca e l'aggiornamento autonomo, considerando che l'industria digitale si evolve molto velocemente e spesso le novità possono emergere da fonti diverse e inaspettate.

Inoltre, anche le competenze relative alla **leadership** svolgono un ruolo fondamentale, specialmente quando si tratta di guidare un team o di gestire progetti complessi che coinvolgono diverse aree aziendali e competenze specifiche. All'interno del percorso di sviluppo professionale, quindi, un adeguato mix di formazione tecnica, aggiornamenti costanti e sviluppo delle soft skills, andrebbe progettato e implementato per garantire una crescita armonica e olistica che permetta non solo di gestire efficacemente le attività quotidiane e i cambiamenti dell'industria, ma anche di evolvere la propria carriera e contribuire attivamente all'innovazione e allo sviluppo nel campo del social media marketing. La formazione dovrebbe, dunque, essere vista come un investimento continuo, che non riguarda solo le competenze tecniche e specifiche del settore, ma che abbraccia tutte le sfere competenziali che contribuiscono al successo nel ruolo.

Lo sviluppo professionale non riguarda esclusivamente l'acquisizione di nuove competenze o il rafforzamento di quelle esistenti, ma anche la costruzione di una rete professionale solida e supportiva, comunemente nota come "networking". Questa attività può includere la partecipazione a conferenze del settore, eventi locali, seminari online e workshop, dove i social media manager hanno la possibilità non solo di apprendere nuove strategie e tendenze, ma anche di connettersi con altri professionisti del settore, condividere esperienze e, in taluni casi, avviare collaborazioni o progetti congiunti.

Il networking può anche avvenire online, attraverso forum specializzati, gruppi su piattaforme social dedicate, e partecipazione a webinar e corsi online. L'accesso a comunità di professionisti permette uno scambio continuo di informazioni, consigli e best practices che possono elevare la qualità del proprio lavoro e aprire nuove possibilità di carriera e progetti.

È inoltre cruciale considerare l'importanza della presenza online personale per un social media manager. Mantenere un profilo professionale aggiornato su piattaforme come LinkedIn, condividere i propri successi e le proprie riflessioni su temi legati al social media marketing, partecipare a discussioni di settore e pubblicare contenuti pertinenti, possono contribuire non solo a rafforzare la propria immagine professionale, ma anche ad attrarre opportunità di carriera e collaborazioni.

All'interno del percorso di sviluppo professionale, anche il concetto di "personal brand" assume una rilevanza notevole. Per un esperto di social media, il proprio marchio personale diventa spesso un biglietto da visita che dimostra, attraverso i fatti e non solo a parole, le competenze e le abilità possedute.

Curare il proprio personal brand significa quindi non solo mostrare le proprie competenze e realizzazioni, ma anche condividere visioni e valori, attrarre una rete di contatti allineata con i propri interessi professionali e, in certi casi, diventare un punto di riferimento o una voce autorevole all'interno della propria nicchia o settore.

Inoltre, all'interno del proprio percorso di crescita, un social media manager potrebbe anche esplorare nicchie o settori specifici del digital marketing che potrebbero non solo elevare il proprio profilo professionale, ma anche aprire porte verso nuove opportunità e sfide. Ad esempio, l'esperto di social potrebbe specializzarsi in settori particolari come il marketing influencer, la gestione delle crisi online, o diventare un esperto di determinate piattaforme social che sono emergenti o particolarmente rilevanti per certi target demografici o mercati.

Queste specializzazioni possono non solo apportare un valore aggiunto al profilo professionale del social media manager, ma anche fornire nuove prospettive e stimoli nel quotidiano, evitando la routine e mantenendo alta la motivazione e l'interesse verso il proprio lavoro.

Inoltre, la natura stessa della professione, che è intrinsecamente dinamica e in continuo mutamento, richiede un atteggiamento aperto verso il cambiamento e una predisposizione all'adattamento e all'apprendimento continuo. La capacità di rimanere flessibili, curiosi e proattivi nei confronti delle novità può trasformarsi in un importante vantaggio competitivo in un mercato del lavoro che è sempre più esigente e selettivo. In ogni fase della carriera, il social media manager dovrebbe quindi cercare di bilanciare competenze tecniche e soft skills, mantenendo una visione olistica e integrata del proprio sviluppo professionale, e valutando sempre nuove opportunità di apprendimento e crescita che possano arricchire il proprio percorso e apportare valore aggiunto al proprio profilo.

Oltre a quanto già discusso, lo sviluppo professionale di un social media manager può essere ulteriormente espanso attraverso la ricerca e l'applicazione di metodi innovativi nel campo. È essenziale restare aggiornati su nuove strategie, piattaforme emergenti e trend del marketing digitale, non solo per rimanere competitivi nel mercato, ma anche per offrire servizi aggiornati e di qualità ai propri clienti o all'azienda per cui si lavora.

Uno degli aspetti fondamentali che un social media manager può esplorare e continuare a sviluppare sono le competenze analitiche e di data science. L'abilità di comprendere, interpretare e utilizzare i dati per guidare le decisioni di marketing è diventata fondamentale. Acquisire competenze in analisi dei dati, familiarizzare con gli strumenti di analytics e imparare a trarre insight strategici dai dati, possono significativamente ampliare la capacità del professionista di creare campagne di successo e di dimostrare il ritorno sugli investimenti (ROI) delle strategie implementate.

Una crescita nell'ambito della creatività digitale è un altro punto focale per lo sviluppo professionale del social media manager. Esplorare e applicare nuovi formati di contenuti, sperimentare con le funzionalità delle piattaforme e adottare approcci creativi alle campagne può non solo migliorare l'efficacia delle strategie di marketing, ma anche differenziare il brand in un mare di contenuti social.

Inoltre, una consapevolezza delle implicazioni etiche e sociali dell'uso dei social media e delle strategie di marketing digitale rappresenta un'altra dimensione fondamentale per lo sviluppo professionale. Ad esempio, comprendere le dinamiche legate alla privacy degli utenti, all'etica della pubblicità e alla responsabilità sociale delle aziende nel contesto digitale può arricchire la prospettiva del social media manager e informare strategie di marketing più etiche e sostenibili.

Le competenze di leadership e gestione del team sono altrettanto cruciali per coloro che aspirano a ruoli di responsabilità o gestione di team nel contesto dei social media. Sviluppare abilità nella guida dei team, nella gestione dei progetti e nella comunicazione efficace con le varie parti interessate (stakeholder) può aprire la strada a ruoli più avanzati e a opportunità di leadership all'interno del settore.

Inoltre, non bisogna dimenticare l'importanza della resilienza e del benessere mentale nel percorso di sviluppo professionale. Lavorare con i social media può essere, a tratti, stressante e sfidante, a causa dell'immediata reattività del pubblico e della necessità di essere sempre "connessi". Sviluppare strategie per gestire lo stress, mantenere un equilibrio tra vita professionale e personale, e costruire una rete di supporto può non solo migliorare il benessere del professionista ma anche sostenere una carriera sana e duratura.

L'arricchimento delle competenze trasversali, come le capacità di negoziazione, il pensiero critico, e le competenze interculturali, potrebbe inoltre fornire un set di strumenti diversificato e flessibile che può essere applicato in vari contesti e con diversi clienti, facilitando l'adattamento a nuovi mercati e sfide professionali.

E, infine, uno sguardo all'internazionalizzazione della propria carriera potrebbe rappresentare un ulteriore passo evolutivo significativo, attraverso la conoscenza di nuove lingue, l'approfondimento delle dinamiche dei mercati esteri e la comprensione delle diverse culture digitali esistenti nel mondo. Questo può non solo ampliare il raggio d'azione del social media manager ma anche arricchire il suo bagaglio professionale e personale, portando freschezza e innovazione nella sua pratica quotidiana.

Concludendo il punto relativo allo "Sviluppo Professionale" per un Social Media Manager, è imperativo ribadire che la crescita e la formazione continua in questo campo sono fondamentali per assicurare non solo l'efficacia nelle strategie applicate ma anche la sostenibilità della carriera nel lungo termine.

Il panorama dei social media è incredibilmente dinamico, mutando e evolvendosi con una rapidità sorprendente, che obbliga i professionisti del settore a restare in costante aggiornamento per non rischiare l'obsolescenza delle proprie competenze. Ciò implica una necessità di immersi in un apprendimento continuo, che possa spaziare dalle competenze tecniche, come l'utilizzo di nuovi strumenti e piattaforme, fino alle soft skills, come la comunicazione, la gestione dello stress e la leadership.

La consapevolezza dell'importanza della propria crescita professionale porta inevitabilmente un social media manager ad esplorare e investire in una varietà di percorsi formativi, quali corsi, workshop, seminari e conferenze, che possano non solo aggiornare le competenze esistenti ma anche introdurre nuovi concetti e metodologie. Inoltre, la partecipazione attiva in reti e comunità professionali, l'interazione con colleghi e esperti del settore, e la condivisione di conoscenze e esperienze, possono arricchire ulteriormente il proprio percorso di crescita, offrendo nuove prospettive e stimoli.

Parallelamente, uno sguardo attento verso le evoluzioni del settore, attraverso la lettura costante di articoli, report e ricerche di mercato, può permettere al professionista di anticipare tendenze e innovazioni, applicando proattivamente nuove soluzioni e approcci nel proprio lavoro quotidiano. La curiosità e la passione per il mondo digitale e delle comunicazioni online diventano quindi alleati preziosi per alimentare questa continua esplorazione e sperimentazione.

Da non sottovalutare è l'importanza della rete di contatti professionali (networking), che consente di scambiare conoscenze, competenze, opportunità lavorative e, in generale, di rimanere connessi con l'ecosistema digitale circostante. Partecipare attivamente a forum, eventi e gruppi dedicati al mondo dei social media permette di mantenere vivo il dibattito professionale e di accrescere il proprio bagaglio di competenze e conoscenze.

Inoltre, lo sviluppo professionale si nutre anche della capacità di sapersi reinventare e adattare, accogliendo le sfide e le novità con un mindset aperto e flessibile, e traducendo gli eventuali fallimenti o errori in preziose lezioni da cui trarre spunti per il miglioramento e la crescita personale e professionale.

In sintesi, lo sviluppo professionale nel campo dei social media non è un percorso lineare o rigidamente definito, ma piuttosto un percorso individuale e dinamico, che si modella e si adatta in risposta alle evoluzioni del settore e alle personali aspirazioni e interessi del professionista. Essere un social media manager richiede dunque una continua evoluzione e un impegno costante verso l'apprendimento e l'adattamento, che si traduce in una pratica professionale sempre aggiornata, innovativa e pertinente nel contesto digitale attuale e futuro.

18. Freelancing e Agenzie • Lavorare come freelance o in un'agenzia.

La scelta tra operare come freelance o lavorare all'interno di un'agenzia è spesso influenzata da diversi fattori, inclusi gli obiettivi di carriera, le preferenze lavorative, e le aspirazioni personali nel campo del social media management.
Entrambi i percorsi offrono pro e contro distinti e rappresentano differenti stili e ambienti di lavoro che possono variare notevolmente.
Quando si lavora come **freelance**:

- **Autonomia**: Il freelance ha una maggiore autonomia decisionale, in quanto può selezionare i clienti con cui lavorare e i progetti su cui impegnarsi, basando le scelte sulle proprie competenze e interessi.
- **Flessibilità**: La flessibilità oraria e gestionale è un altro vantaggio significativo, permettendo di organizzare il lavoro secondo le proprie esigenze e preferenze.
- **Rapporto diretto con il cliente**: La comunicazione con il cliente è diretta e questo può facilitare la comprensione delle esigenze e la creazione di strategie su misura.

- **Rischio Economico**: Tuttavia, con la libertà viene anche un certo grado di rischio e instabilità, soprattutto in termini economici, dovuti alla natura a progetto del lavoro freelance e all'assenza di un salario fisso.
- **Responsabilità**: Il freelance deve gestire autonomamente tutte le fasi del progetto, dalla acquisizione del cliente, alla pianificazione, esecuzione, e valutazione delle strategie di social media, oltre alle attività amministrative e fiscali legate alla gestione dell'attività.
Invece, lavorando in un'**agenzia**:
- **Stabilità**: Si beneficia generalmente di una maggiore stabilità, sia in termini economici che di flusso di lavoro, grazie alla presenza di una struttura organizzata e di un team di professionisti.
- **Team**: La possibilità di lavorare all'interno di un team può arricchire professionalmente, permettendo lo scambio di idee, il confronto e l'apprendimento da colleghi con diversi background ed esperienze.
- **Clientela Variegata**: L'agenzia offre inoltre l'opportunità di lavorare con una gamma più ampia e diversificata di clienti e progetti, ampliando così le esperienze e le competenze.
- **Meno Controllo**: Tuttavia, potrebbe esserci meno controllo e autonomia decisionale in

quanto le scelte strategiche e operative sono spesso condivise o dipendono da ruoli superiori.

- **Orari**: Gli orari e le modalità di lavoro potrebbero essere meno flessibili, dovendo adattarsi alle necessità e alle normative dell'agenzia.

Entrambi gli scenari richiedono un set distinto di competenze e capacità. Mentre il freelance deve essere un eccellente organizzatore e gestore del proprio tempo, avendo anche competenze imprenditoriali, chi opera in agenzia dovrebbe possedere solide competenze di team working e spesso specializzarsi in aree specifiche del social media management per integrarsi al meglio nel team di lavoro.

In ultima analisi, la scelta tra freelancing e lavorare in un'agenzia dipenderà in gran parte dalle preferenze personali, dalle competenze e dagli obiettivi di carriera del social media manager, essendo entrambe le opzioni valide ma profondamente diverse nel loro modus operandi e nelle sfide quotidiane che presentano.

Il lavoro di un social media manager può essere estremamente diversificato e ricco di sfide, indipendentemente dal fatto che operi come freelance o all'interno di un'agenzia. La dinamicità del settore dei social media e l'evoluzione costante delle piattaforme e delle strategie di marketing richiedono un adattamento e un apprendimento continui, facendo della flessibilità una delle chiavi per il successo in entrambi i contesti lavorativi.

**Specializzazione Versus Generalizzazione**

Nel contesto di un'agenzia, un social media manager potrebbe trovare opportunità di specializzazione in specifici ambiti del marketing digitale, come l'analisi delle metriche, la creazione di contenuti, la gestione della pubblicità a pagamento, o la gestione della community. L'interazione con altri professionisti del settore, come copywriter, grafici, e analisti, potrebbe anche arricchire le competenze e offrire nuove prospettive e strategie.

D'altro canto, il freelance deve spesso vestire molteplici cappelli, coprendo una vasta gamma di ruoli e responsabilità che spaziano dalla creazione di contenuti alla strategia, dall'analisi dati alla gestione clienti. Questo può offrire una panoramica più olistica e controllo completo dei progetti, ma anche comportare una maggiore pressione e la necessità di continuare ad aggiornarsi su molteplici fronti.

**Gestione Clienti e Comunicazione**

La gestione dei clienti rappresenta un altro aspetto che varia sostanzialmente tra l'operare come freelance o in agenzia. Nel primo caso, il social media manager deve spesso occuparsi direttamente dell'acquisizione dei clienti, della negoziazione dei contratti, e delle comunicazioni. In un'agenzia, sebbene il social media manager possa interagire con i clienti, potrebbe esserci un team o un reparto dedicato che si occupa delle negoziazioni, dei contratti e della gestione delle relazioni con i clienti.

## Sicurezza Economica e Crescita Professionale

Dal punto di vista economico, l'agenzia offre generalmente una maggiore sicurezza sotto forma di uno stipendio fisso e benefici accessori, mentre il freelance può godere di maggiori guadagni potenziali, ma a fronte di un maggiore rischio e instabilità. La crescita professionale, invece, può essere fortemente influenzata dalla rete di contatti (networking), che nel caso del freelance è fondamentale costruire attivamente, mentre in agenzia può essere facilitata attraverso la collaborazione con colleghi e clienti vari.

## Adattabilità e Innovazione

L'innovazione e l'adattabilità sono fondamentali nel mondo dei social media. Per il freelance, l'aggiornamento e l'innovazione sono spesso autogestiti e richiedono una forte proattività. Nelle agenzie, le opportunità di formazione e l'accesso a nuovi strumenti e tecnologie possono essere più accessibili, anche se l'innovazione

potrebbe essere a volte frenata da processi
decisionali più stratificati e complessi.

Entrambe le modalità lavorative portano con sé
un insieme unico di sfide e opportunità che un
social media manager deve considerare e valutare
in base alle proprie aspirazioni professionali,
punti di forza, e preferenze lavorative, in un
percorso professionale che può essere
estremamente variegato e offrire svariate
opportunità di crescita e apprendimento
continuo nel vibrante e in continua evoluzione
mondo dei social media.

Il lavorare come freelance oppure in un'agenzia
nel mondo del social media management ha delle
sfaccettature molto specifiche che sono vitali per
la scelta di carriera del professionista. Ogni
percorso ha i propri vantaggi e sfide, e questa
scelta può influenzare sostanzialmente la
traiettoria professionale e personale di un
individuo nel settore.

**Variabilità dei Progetti**

La variabilità dei progetti tra i due percorsi è una
componente da esaminare attentamente. Un
freelance avrà il privilegio, ma anche la sfida, di
scegliere i propri clienti e progetti, dando la
possibilità di navigare attraverso diverse
industrie e nicchie di mercato. Questo può essere
estremamente arricchente e formativo, offrendo

una vasta gamma di esperienze e un portafoglio clienti eterogeneo. D'altra parte, lavorare in un'agenzia potrebbe offrire una maggiore stabilità progettuale, ma anche la possibilità di lavorare su conti più grandi e campagne più strutturate, offrendo così l'opportunità di approfondire e specializzarsi in settori o strategie specifiche.

## Rete di Supporto Professionale

Un altro punto cruciale è la rete di supporto professionale. Mentre il freelance deve spesso fare affidamento sulle proprie competenze e risorse, risolvendo autonomamente le sfide e le problematiche che emergono, il professionista in agenzia può contare su un team di colleghi con diverse specializzazioni, con cui condividere idee, strategie e soluzioni. Questo può non solo facilitare la gestione dei progetti ma anche arricchire professionalmente il singolo, attraverso il costante scambio di conoscenze e competenze.

## Gestione Amministrativa

La gestione amministrativa è un altro aspetto da considerare. Mentre un freelance dovrà gestire autonomamente tutte le questioni amministrative, fiscali e burocratiche, un impiegato in agenzia avrà probabilmente un dipartimento amministrativo che si occupa di queste questioni. Questa distinzione è fondamentale, in quanto la gestione amministrativa può essere temporanea e richiede competenze specifiche che un freelance dovrà acquisire per gestire efficacemente il proprio business.

## Equilibrio Vita-Lavoro

L'equilibrio tra vita e lavoro è un altro elemento che può variare significativamente tra freelance e lavoro in agenzia. Mentre il freelance ha una flessibilità oraria e la possibilità di gestire autonomamente i propri orari e progetti, questa libertà può a volte trasformarsi in una difficoltà a staccare dal lavoro e stabilire confini chiari tra vita professionale e personale. D'altro canto, lavorare in agenzia può offrire una struttura più solida e orari di lavoro più definiti, anche se con potenziali periodi di picco dove le ore extra possono diventare la norma per rispettare le scadenze dei clienti.

## Accesso a Risorse e Strumenti

L'accesso a risorse e strumenti è un altro punto che differenzia i due percorsi. Un'agenzia potrebbe offrire accesso a software avanzati, piattaforme a pagamento e formazione continua finanziata dall'azienda. Per un freelance, queste risorse rappresentano un investimento personale che deve essere attentamente ponderato e gestito per assicurare che porti un ritorno significativo in termini di efficacia e efficienza lavorativa.

## Conclusione

Entrambi i percorsi, freelance e agenzia, offrono percorsi carriere validi e stimolanti per un social media manager. La scelta tra i due può dipendere da una varietà di fattori, tra cui le preferenze personali, le aspirazioni di carriera, la tolleranza al rischio e le competenze specifiche del professionista. Con un mercato del lavoro in continua evoluzione e con le crescenti opportunità offerte dal digitale, il ruolo del social media manager continuerà a evolversi, offrendo nuove e stimolanti opportunità in entrambi gli ambiti lavorativi.

Il contesto in cui un social media manager sceglie di operare, che sia come freelancer o all'interno di un'agenzia, porta con sé anche una serie di implicazioni etiche, strategiche e relazionali che meritano una riflessione accurata.

## Implicazioni Etiche

A livello etico, il freelance dovrà navigare autonomamente attraverso le sfide che il panorama dei social media presenta, come la gestione delle informazioni, il rispetto della privacy, l'autenticità e la trasparenza nella comunicazione. La capacità di bilanciare la necessità di creare contenuti accattivanti e al contempo eticamente solidi può essere una sfida quando si lavora in autonomia, senza un team con cui condividere dubbi e decisioni. In contrasto, in un'agenzia, queste questioni etiche sono spesso navigate collettivamente, con politiche aziendali e team dedicati che possono fornire linee guida e supporto.

## Strategie di Posizionamento

In termini di strategie di posizionamento, il freelance avrà la possibilità di modellare la propria marca personale in modo più libero e autonomo, creando una narrativa che rifletta le proprie competenze e valori. Questo posizionamento può essere altamente personalizzato ma richiede una gestione costante e coerente per assicurare una percezione uniforme nel tempo. D'altro canto, in un'agenzia, la strategia di posizionamento sarà influenzata dalla cultura aziendale, dai valori e dalla missione dell'organizzazione, creando un contesto nel quale il professionista deve inserirsi e a cui deve possibilmente adattarsi.

## Gestione dei Clienti

Per quanto riguarda la gestione dei clienti, il freelance spesso si trova a interfacciarsi direttamente con il cliente, gestendo ogni aspetto della relazione, dalla negoziazione contrattuale, all'acquisizione, alla soddisfazione e ritenzione del cliente. Questa gestione end-to-end può essere arricchente ma anche complessa e richiede una varietà di competenze trasversali. Nel contesto di un'agenzia, la gestione del cliente potrebbe essere distribuita tra diversi ruoli e reparti, con team e figure professionali dedicate a differenti aspetti della relazione client-agente, come account manager, strategist e specialisti di vari ambiti.

## Sviluppo di Rete Professionale

Sviluppare una rete professionale è vitale in entrambi gli scenari ma avviene in modi differenti. Il freelance dovrà proattivamente cercare e creare opportunità di networking, partecipando a eventi del settore, webinar e forum online, e utilizzando piattaforme social per creare e mantenere connessioni nel settore. In un'agenzia, le opportunità di networking possono emergere naturalmente attraverso progetti condivisi, collaborazioni interdepartimentali e partecipazione a eventi rappresentando l'agenzia stessa, creando un tessuto di relazioni spesso più ampio ma meno personalizzato.

## Sostenibilità della Carriera

Infine, la sostenibilità della carriera e la salute mentale e fisica sono cruciali in entrambe le scelte professionali. Il freelance deve attivamente creare una struttura che permetta un equilibrio sano tra vita lavorativa e personale, proteggendo il proprio benessere e prevenendo il burnout. Allo stesso tempo, un professionista in agenzia dovrà navigare le dinamiche e le richieste del contesto aziendale, che possono a volte essere intense e altamente competitive, cercando di mantenere un equilibrio personale all'interno di una struttura più ampia e complessa.

Entrambi i contesti, freelance e agenzia, offrono opportunità e sfide uniche, e la scelta tra i due richiederà una riflessione approfondita su quale percorso sia più allineato con le proprie competenze, valori e aspirazioni di carriera nel lungo termine. Si tratta di ponderare tra la libertà e l'autonomia del freelance e la struttura e le risorse offerte da un'agenzia, cercando il percorso che migliori risponda alle proprie esigenze e obiettivi professionali e personali.

La distinzione tra lavorare come freelancer o all'interno di un'agenzia nel campo dei social media contiene in sé una serie di sottopunti e dettagli che meritano un'attenta riflessione e una chiusura ponderata, considerando le diverse sfaccettature che ogni opzione comporta.

**Scegliere la via del Freelance: Autonomia e Personalizzazione**

Optare per il percorso del freelance offre un grado elevato di autonomia e flessibilità, consentendo al professionista di curare e plasmare ogni aspetto della propria attività, dalla definizione dei propri orari di lavoro, alla selezione dei clienti, e alla determinazione delle tariffe e dei servizi offerti. Ciò comporta anche una responsabilità maggiore in termini di gestione amministrativa, fiscale e operativa, richiedendo competenze trasversali che vadano oltre la mera esecuzione dei progetti di social media. La necessità di auto-promozione, di reperire costantemente nuovi clienti e progetti, e di mantenere elevati standard qualitativi e di soddisfazione del cliente diventa imperativa per garantire la sostenibilità e la crescita del proprio business freelance.

## Agenzia: Struttura, Supporto e Crescita Collaborativa

D'altro canto, lavorare all'interno di un'agenzia fornisce una struttura predefinita e supporto in molteplici aree, come l'amministrazione, la gestione clienti, e l'accesso a risorse e tools. Essere parte di un'agenzia può anche offrire opportunità di crescita professionale e apprendimento collaborativo, permettendo di lavorare in team multidisciplinari e di beneficiare delle competenze e delle esperienze degli altri membri dell'organizzazione. Tuttavia, la natura strutturata dell'agenzia può anche comportare una minore flessibilità e autonomia nel definire il proprio percorso e nel selezionare i progetti su cui lavorare.

## Confluenza e Intersezione

In alcuni casi, la distinzione tra freelance e agenzia può anche intersecarsi, con professionisti che scelgono di adottare un approccio ibrido, lavorando come consulenti o collaboratori esterni per agenzie mentre mantengono la propria attività freelance. In questa confluenza, è possibile cercare di sfruttare i vantaggi di entrambi gli scenari, anche se ciò può richiedere un ulteriore grado di bilanciamento e gestione delle priorità e delle responsabilità.

## Conclusionale: Identificare il Proprio Percorso Unico

In conclusione, la scelta tra freelance e agenzia non è assoluta o definitiva e può essere influenzata da una varietà di fattori, tra cui le proprie competenze, interessi, e aspirazioni di carriera. Identificare il proprio percorso unico nel mondo del social media management richiede una riflessione autentica e una comprensione chiara di ciò che si desidera realizzare professionalmente e personalmente.

Il settore continua a evolvere e le opportunità di costruire carriere dinamiche e soddisfacenti sono abbondanti in entrambe le sfere, freelance e agenzia, con la possibilità di navigare e transitare tra i due a seconda delle fasi e delle esigenze della propria carriera e vita personale.

E, mentre i tempi cambiano e il settore si adatta a nuove tecnologie, piattaforme e tendenze, rimane essenziale rimanere impegnati in un percorso di apprendimento e sviluppo continuo, siano essi autonomi o all'interno di una struttura più ampia, per continuare a offrire valore e a prosperare nel ruolo di social media manager.

19. Creazione di un Portfolio • Presentare i propri lavori e successi.

La creazione di un portfolio è un passo fondamentale per qualsiasi professionista nel campo del social media management. Questo strumento consente di presentare i propri lavori e successi in un formato organizzato e visivamente attraente, fungendo da vetrina delle proprie competenze, esperienze e abilità nel settore. Un portfolio ben costruito può servire a dimostrare non solo le competenze tecniche, ma anche la creatività, la strategia e l'efficacia del proprio lavoro a potenziali clienti o datori di lavoro.

**Punti Focali nella Creazione di un Portfolio**

**1. Selezione dei Lavori:**

È fondamentale selezionare i progetti e i lavori che rappresentano al meglio le proprie competenze e realizzazioni. Ogni elemento incluso dovrebbe evidenziare non solo la qualità del lavoro, ma anche il processo strategico e creativo che ha guidato quelle scelte e gli impatti o risultati che ne sono derivati.

**2. Narrativa Chiara:**

Accanto ad ogni progetto o campagna, inserire una descrizione chiara e concisa che guidi il visitatore attraverso la logica, gli obiettivi, le sfide e i risultati del progetto. Questo racconto dovrebbe sottolineare non solo cosa è stato fatto, ma anche il perché e il come, illustrando il proprio approccio strategico e risolutivo.

**3. Visual Impact:**

Poiché i social media sono intrinsecamente legati al visual, è vitale che il portfolio non solo descriva, ma mostri efficacemente il lavoro svolto. Immagini di alta qualità, screenshot, grafiche e possibilmente anche link a campagne o contenuti live possono fornire un contesto visivo coinvolgente.

**4. Testimonianze e Referenze:**

Ove possibile, includere testimonianze o referenze dai clienti o dai collaboratori può aggiungere un ulteriore livello di validazione e autenticità al tuo lavoro. Questo potrebbe essere sotto forma di citazioni dirette, recensioni o casi studio approfonditi.

## 5. Facilità di Navigazione:

L'usabilità e la navigazione del portfolio dovrebbero essere intuitive e fluide, permettendo ai visitatori di esplorare i lavori senza confusione o frustrazione. Una struttura chiara, categorie logiche e un design visivamente piacevole sono essenziali.

## 6. Adattabilità:

Mentre il portfolio può essere inizialmente creato come un documento o un sito web, essere in grado di adattare e personalizzare il contenuto per differenti opportunità o piattaforme è fondamentale. Ad esempio, avere versioni o selezioni che siano facilmente condivisibili via email o su piattaforme social può aumentare la sua utilità e risonanza.

## 7. Aggiornamento Costante:

Un portfolio dovrebbe essere un documento vivente, regolarmente aggiornato per riflettere nuovi progetti, competenze e successi. Man mano che la carriera e le competenze evolvono, anche il portfolio dovrebbe evolvere per rimanere un riflesso accurato e attuale del professionista che sei.

## Conclusione

Il portfolio, quindi, diventa un connubio di arte e scienza, che bilancia estetica accattivante e narrativa strategica per presentare un quadro complessivo della carriera, delle competenze e del valore del social media manager. La sua creazione e manutenzione richiedono un'attenta riflessione e cura, con un occhio sempre attento a come meglio rappresentare se stessi e il proprio lavoro in un modo che risuoni con i potenziali clienti o datori di lavoro, fondendo insieme successi passati e potenzialità future in una presentazione coerente e impattante.

Il portfolio, per un professionista dei social media, va oltre la semplice presentazione dei propri lavori: è una testimonianza tangibile delle competenze, delle strategie e delle idee implementate nel corso della carriera. Di conseguenza, ci sono altri aspetti che potrebbero essere esplorati e considerati nel dettaglio per assicurarsi che il portfolio non solo dimostri ciò che è stato fatto, ma anche ciò che il professionista è in grado di realizzare.

## Vetrina delle Competenze

Includere sezioni o elementi che dimostrano in modo evidente le specifiche competenze tecniche, come la gestione di campagne PPC, la creazione di contenuti visivi, la scrittura di copie persuasive, la gestione di community e così via, può fornire un'immagine più chiara delle abilità distintive del social media manager.

## Storytelling e Copywriting

Il modo in cui le storie e i successi vengono comunicati all'interno del portfolio è essenziale. Dimostrare la propria capacità nel raccontare una storia e nel coinvolgere il lettore è fondamentale. Utilizzare il copywriting efficace per articolare sfide, soluzioni e risultati in modo che risuoni con il pubblico target.

## Personal Branding

Il portfolio stesso dovrebbe essere un esempio del personal branding del professionista. L'uso coerente dei colori, dei caratteri tipografici e dello stile di comunicazione contribuirà a costruire e rafforzare la propria marca personale attraverso il portfolio.

## Metodologie di Lavoro

Esplorare e descrivere le metodologie di lavoro, i flussi di lavoro e gli strumenti utilizzati può dare al lettore una panoramica di come si approccia ai progetti e alle sfide, fornendo contesto e trasparenza al processo creativo e strategico.

## Progetti Multidisciplinari

Mostrare una varietà di progetti, dalle campagne social alla creazione di contenuti, passando per la pubblicità a pagamento e la gestione di eventi, potrebbe illustrare la versatilità e la capacità di gestire complessità diverse.

## Problem Solving e Creatività

Risaltare i momenti in cui è stata utilizzata la creatività per risolvere problemi specifici o superare sfide particolari. Mostrare non solo i successi ma anche i problemi affrontati e le soluzioni adottate.

## Certificazioni e Formazione

Mentre la formazione continua è essenziale, mostrare certificazioni e corsi specifici nel portfolio può aggiungere un ulteriore livello di autenticità e dedizione al proprio sviluppo professionale.

## Feedback e Analisi

Incorporare analisi e dati che dimostrano il successo delle campagne o dei progetti, oltre ai feedback (sia positivi che costruttivi) ricevuti da clienti o colleghi, per dare un'immagine onesta e bilanciata del proprio lavoro e del proprio impatto.

## Eventuali Insucessi

Considerare la possibilità di includere anche progetti che non hanno avuto il successo sperato, spiegando cosa si è imparato da essi e come queste lezioni siano state applicate in progetti futuri.

In conclusione, mentre il portfolio deve certamente mettere in mostra il miglior lavoro di un professionista, è anche un'opportunità per mostrare il proprio percorso, la propria etica del lavoro, i valori e l'approccio strategico. Rendendolo un documento ricco, variato e riflettente la propria unicità, il professionista potrà assicurarsi che il portfolio sia non solo una retrospettiva dei lavori svolti, ma anche un promettente assaggio di ciò che è capace di realizzare in futuro.

**Conclusioni su "Creazione di un Portfolio"**
L'efficacia e la professionalità nell'ambito del social media management richiedono, in modo imprescindibile, la capacità di presentare e narrare con maestria i propri successi, competenze e percorsi formativi. Il portfolio diviene, quindi, non solo un registro delle attività svolte, ma un vero e proprio strumento di comunicazione e marketing personale, che testimonia, in modo palpabile, l'esperienza e l'expertise del professionista.
In questo contesto, ogni sezione del portfolio deve essere pensata e curata con attenzione, mirando a:

- **Demonstrare Competenze Concrete**: Ogni caso studio o progetto presentato deve illustrare chiaramente le competenze utilizzate e sviluppate, andando oltre la mera descrizione dell'attività svolta, per enfatizzare il "come" e il "perché" delle scelte operate.

- **Valorizzare la Propria Unicità**: Il portfolio deve mettere in luce ciò che rende unico il professionista, presentando quei progetti o quelle attività che meglio rappresentano il proprio stile, la propria etica lavorativa e il proprio modo di approcciarsi alle sfide.

- **Narrare Storie Coinvolgenti**: Ogni progetto dovrebbe raccontare una storia, mettendo in luce gli obiettivi, le sfide, le soluzioni adottate e i risultati ottenuti, con l'obiettivo di coinvolgere ed emozionare il lettore.

- **Orientarsi al Target**: Identificare e comprendere chi sarà l'utente finale del portfolio è fondamentale per garantire che il contenuto, il linguaggio e il design siano in grado di catturarne l'attenzione e di comunicare efficacemente il proprio messaggio.

- **Essere Visivamente Impactful**: Utilizzare un design coerente, pulito ed efficace, che faciliti la navigazione e renda piacevole la scoperta dei contenuti, senza trascurare la qualità delle immagini, degli screenshot e dei materiali visivi presentati.

- **Mostrare Risultati Misurabili**: Presentare i dati in modo chiaro ed efficace, attraverso l'uso di grafici, tabelle e metriche che possano evidenziare i risultati ottenuti e l'impatto delle proprie attività.

- **Raccogliere e Presentare Testimonianze**: Includere feedback, recensioni e testimonianze da parte di clienti, collaboratori e stakeholder che possano arricchire e validare le proprie affermazioni e i propri successi.
- **Evidenziare l'Approccio Strategico**: Spiegare le strategie e le tattiche adottate, mostrando non solo la capacità di eseguire, ma anche quella di pensare, pianificare e ottimizzare strategie complesse e multisfaccettate.
- **Presentare un Percorso di Crescita**: Includere informazioni sulla propria formazione e sviluppo professionale, sottolineando la costante crescita e aggiornamento che caratterizza la propria carriera.

Un portfolio strutturato, completo e ponderato è in grado di aprire nuove opportunità professionali e di posizionare il professionista come un attore credibile e autorevole nel suo campo. Ogni dettaglio, quindi, va ponderato non solo in termini di ciò che mostra, ma anche di ciò che comunica implicitamente al lettore, garantendo che ogni elemento contribuisca a costruire un'immagine professionale forte, coerente e persuasiva. In tal modo, il portfolio si configura come un essenziale biglietto da visita nel mondo del lavoro digitale, rappresentando un concreto e tangibile punto di riferimento delle competenze, delle esperienze e del valore che il social media manager è in grado di portare nel contesto lavorativo in cui si inserirà.

20. Consigli Pratici e Risorse Utili • Suggerimenti e materiali per migliorarsi.

**Consigli Pratici e Risorse Utili per il Social Media Manager**

1. **Continuo Aggiornamento**: Il campo dei social media è in perenne evoluzione. Perciò, è vitale rimanere sempre aggiornati sulle ultime tendenze, strumenti e algoritmi attraverso blog, webinar, corsi online, e podcast specializzati nel marketing digitale e nei social media.
2. **Network di Professionisti**: Unirsi a gruppi e community online di social media manager, partecipare a eventi del settore e a conferenze, non solo per apprendere ma anche per scambiare idee, strategie e consigli pratici con altri professionisti.
3. **Time Management**: La gestione del tempo è cruciale. Utilizzare strumenti di project management e pianificazione, come Trello o Asana, per organizzare attività, scadenze e collaborazioni in modo efficiente.

4. **Contenuti di Qualità**: Dedicare tempo e risorse alla creazione di contenuti di alta qualità, che siano visualmente accattivanti e redazionalmente pertinenti e interessanti per il pubblico di riferimento.

5. **Uso di Strumenti di Analisi**: Approfondire la conoscenza e l'uso di strumenti analitici, come Google Analytics o gli insight forniti direttamente dalle piattaforme social, per comprendere a fondo le performance dei contenuti e le dinamiche dell'audience.

6. **Etica Professionale**: Mantenere un'etica professionale impeccabile, rispettando le normative sulla privacy e sulla protezione dei dati (es. GDPR) e mantenendo una comunicazione chiara, trasparente e onesta.

7. **Abilità di Copywriting**: Coltivare e perfezionare le competenze di scrittura, essenziali per creare post, articoli e contenuti persuasivi e coinvolgenti. Ciò può includere la comprensione dei principi di SEO e l'applicazione delle tecniche di copywriting efficaci.

8. **Competenze Multimediali**: Sviluppare competenze in ambito multimediale, come il video editing o la grafica, che sono sempre più fondamentali per creare contenuti dinamici e coinvolgenti sui social media.

9. **Rispetto della Legge**: Assicurarsi di conoscere e rispettare le leggi relative all'uso di immagini, musica e altri contenuti di terze parti per evitare violazioni del copyright.

10. **Customer Care**: Non trascurare l'aspetto della cura del cliente. La tempestività e l'efficacia delle risposte, così come un atteggiamento sempre cordiale e costruttivo, sono fondamentali per gestire al meglio la community e per mitigare eventuali crisi.

11. **Sperimentazione Creativa**: Non aver paura di sperimentare e provare nuovi formati, linguaggi o piattaforme. La sperimentazione è alla base dell'innovazione nel campo dei social media.

12. **Empatia e Ascolto Attivo**: Esse sono abilità fondamentali per comprendere le esigenze e le aspettative del pubblico, e per creare contenuti che siano realmente vicini ai suoi interessi e bisogni.

13. **Ambientazione e Personal Branding**: Comprendere il contesto e le dinamiche di ogni piattaforma social e curare attentamente il proprio personal branding, costruendo un'immagine professionale coerente e autentica.

14. **Monitoraggio Continuo**: Utilizzare strumenti di monitoraggio per tenere traccia delle menzioni, dei commenti e delle conversazioni relative al brand gestito, ma anche per tenere d'occhio le attività della concorrenza.

15. **Backup dei Dati**: Salvare e archiviare periodicamente i dati, le performance e i risultati delle campagne, per avere sempre un archivio storico da consultare e analizzare.

Inoltre, utilizzare risorse come libri, corsi online (es. su Udemy, Coursera, LinkedIn Learning), blog specializzati, forum e piattaforme di settore, così come accedere a template, guide e checklist disponibili online, può risultare un valido supporto per ampliare e approfondire costantemente le proprie competenze e per rimanere sempre un passo avanti nell'affascinante e complesso mondo dei social media. In questo contesto, il processo di apprendimento è continuo e il social media manager deve sapersi adattare e rinnovare costantemente, per far fronte alle nuove sfide e opportunità che il digitale propone.

## Conclusione: Riepilogo e Risorse per il Social Media Manager in Erba

Navigare il dinamico e spesso imprevedibile universo dei social media può essere un viaggio affascinante e ricco di sfide. Attraverso i capitoli di questo libro, abbiamo esplorato diversi aspetti chiave della gestione dei social media:

1. **Strategia dei Social Media**: L'importanza di definire obiettivi, target e pianificare le azioni.

2. **Creazione di Contenuti**: L'arte e la scienza di produrre contenuti coinvolgenti e di qualità.
3. **SEO e Social Media**: Ottimizzare i contenuti per una visibilità ottimale nei motori di ricerca.
4. **Gestione della Community**: Moderare e interagire con il pubblico per costruire una community solida.
5. **Public Relations e Collaborazioni**: Stabilire e mantenere relazioni benefiche con influencer e brand.
6. **Advertising sui Social Media**: Creare e gestire campagne pubblicitarie efficaci.
7. **Analisi delle Metriche**: Interpretare i dati per guidare le decisioni strategiche.
8. **Gestione delle Crisi**: Mantenere il controllo e gestire in modo proattivo le criticità.
9. **Leggi e Normative**: Navigare nel panorama legislativo dei social media.
10. **Tool e Software**: Sfruttare gli strumenti disponibili per ottimizzare l'operatività.
11. **Case Studies**: Imparare dagli errori e dai successi altrui.
12. **Sviluppo Professionale**: Puntare su formazione e crescita continua.
13. **Freelancing e Agenzie**: Esplorare le diverse opportunità lavorative nel settore.
14. **Creazione di un Portfolio**: Mostrare competenze e risultati in modo efficace.

15. **Consigli Pratici e Risorse**: Approfondire competenze e conoscenze con materiali e suggerimenti ulteriori.
**Risorse Utili per Approfondire:**
Siti Web e Blog:

- **Social Media Examiner**: Una risorsa completa per le ultime notizie e consigli su social media.
- **HubSpot Blog**: Offre numerosi articoli e risorse sulla gestione dei social media e sul marketing digitale.
- **Hootsuite Blog**: Fornisce consigli pratici e strategici per i social media manager.
- **Buffer Blog**: Una fonte di informazioni preziose su strategie e novità dei social media.
Corsi Online:

- **Coursera**: Corsi offerti da università e organizzazioni di tutto il mondo su vari aspetti del social media marketing.
- **Udemy**: Numerosi corsi su social media management, da quelli basici a quelli avanzati.
- **LinkedIn Learning**: Una piattaforma con una vasta gamma di corsi su social media e marketing digitale.
Libri:

- "Jab, Jab, Jab, Right Hook" di Gary Vaynerchuk: Una guida alla creazione di una strategia di contenuto vincente.

- "Likeable Social Media" di Dave Kerpen: Offre consigli su come sfruttare al meglio i social media per creare un brand amato.
- "The Art of Social Media" di Guy Kawasaki e Peg Fitzpatrick: Una guida rapida e pratica con oltre 100 consigli per migliorare le strategie social. Forum e Gruppi:
- **Reddit (r/socialmedia, r/marketing)**: Forum dove si discute delle ultime tendenze nel marketing dei social media.
- **Gruppi LinkedIn**: Vi sono numerosi gruppi dedicati ai professionisti dei social media, dove condividere esperienze e consigli.
Concludendo, il ruolo del Social Media Manager è complesso, sfaccettato e in continua evoluzione. Mantenere una mentalità aperta, un approccio proattivo all'apprendimento e un occhio sempre vigile sulle tendenze emergenti sono aspetti cruciale. Questo libro ha inteso fornire un quadro generale delle competenze, delle sfide e delle opportunità nel campo del social media management, sperando di offrire spunti utili e pratici per intraprendere o perfezionare il tuo percorso in questo affascinante settore.

Milton Keynes UK
Ingram Content Group UK Ltd.
UKHW020942011223
433598UK00005B/56